国家出版基金项目
NATIONAL PUBLICATION FOUNDATION

《三联经典文库》

第二辑

2012年国家出版基金项目

三联经典文库

153

论文学的工农兵方向

——读《在延安文艺座谈会上的讲话》

雪苇 著

生活·讀書·新知 三联书店

图书在版编目(CIP)数据

论文学的工农兵方向：读《在延安文艺座谈会上的讲话》/ 雪苇著. -- 北京：生活·读书·新知三联书店，2014.1
（三联经典文库第二辑）
ISBN 978-7-108-04670-3

Ⅰ.①论… Ⅱ.①雪… Ⅲ.①毛泽东著作－研究 ②《在延安文艺座谈会上的讲话》－研究 Ⅳ.①A841

中国版本图书馆CIP数据核字(2013)第246605号

153 论文学的工农兵方向——读《在延安文艺座谈会上的讲话》

责任编辑 邵慧敏
封扉设计 蔡立国
责任印制 常宁强
出版发行 生活·讀書·新知 三联书店
（北京市东城区美术馆东街22号）
邮　　编 100010
经　　销 新华书店
印　　刷 北京鹏润伟业印刷有限公司
版　　次 2014年1月北京第1版 2014年1月北京第1次印刷
开　　本 787毫米×1092毫米 1/32 印张 8.5
字　　数 117千字
定　　价 31.00元

《三联经典文库》出版缘起

适逢生活·读书·新知三联书店八十华诞，为弘扬传统，接续文脉，回报读者，服务社会，我们决定策划出版《三联经典文库》。

1932年7月，生活书店在上海创办，此后，读书出版社和新知书店相继成立。本文库第一辑、第二辑所选图书，来自于这三家出版单位及其分支机构，以及1948年生活·读书·新知三联书店成立后的出版物，始于1932年，截至1951年，两辑各一百种。此为第二辑，涉及政治、经济、社会、军事、思想文化诸领域，涵盖专著、文集、散文、小说、诗歌、传记、报道等体裁，既有直面现实、追求真理、讴歌真善美、抨击假恶丑的原创作品，又有引介世界各国先进文化、传播新知、开启民智的逐译之作，真实记录了那一代知识分子的思考与探索、理想与愿景和对中华民族文化传承与创新所做出的努力与贡献。

本文库所辑入各书，多为名家名作，在版本方面，以初版一印本或经著译编者审定、修订、增订过的版本为首选，因此本文库又具有较为珍贵的版本价值和收藏价值。

本文库还将编选续辑，使之成为恢弘文化工程。诚挚希望读者给予批评和指正，帮助我们完善编选工作，再现三联经典作品之风采。殊为遗憾的是，由于年代久远，一些原著译编者及其后人未能取得联系并奉付稿酬，诚盼版权所有者与我们联系。祈愿三联前辈所创造的精神财富能薪火相传，为中华文化的伟大复兴增光添彩。

《三联经典文库》编辑委员会

2013 年 8 月

凡　例

一、本文库为重排本，由繁体字竖排版改为简体字横排版。

一、以忠实于原作、整旧如旧为编辑原则，对当时使用的专有名词、外文译名，以及民国时期的语言和特色予以保留。

一、原书注释如旧，编者所出的注释，均以“编者注”标明，以示与原书注释的区别。

一、对原书残缺或字迹漫漶之处，以□示代。

一、对繁简文本转换时的“如右”、“见左”一类，对应改为“如上（前）”、“见下（后）”。

一、对原书中各种错讹脱衍之处，直接订正，不再以其他符号标示。

一、对数字、标点符号的用法，在不损害原文语义的情况下，做必要的规范。

一、本文库各书均前插原书书影、原书版权页和文库版“本书出版说明”。

一、本书出版说明的撰写，以客观中立为原则，扼要介绍本书的内容、版本流转、著译编者的情况。

本书出版说明

全书分为三章，从“新文学的历史说明什么”、“文学写作的方向问题”、“文学运动的方向问题”三个方面系统论述毛泽东于一九四二年发表的《在延安文艺座谈会上的讲话》；深入阐释中国新文学建设之最根本、最具有决定性的关键问题即真实彻底解决文学之“为工农兵”的方向问题，及其所要求的在文学写作方面实现小资产阶级革命知识分子作家的自我改造问题，以及在文学写作力量的运用即文学运动问题上所采取的“以普及为主，以提高为辅”原则。本书附录是作者对柳青所著《种谷记》的评论，他将其视为实践《在延安文艺座谈会上的讲话》的一个突破性案例，并进行了具体分析。本书可谓作者在文学领域里学习理解毛泽东思想的初步尝试。

本书由光华书店1948年4月初版，此次出版即以此为底本。

刘雪苇（1912－　　），原名刘茂隆，笔名雪苇，贵州郎岱人。1932年10月转入共产党。同年创作报告体小说《小工通讯》，加入中国左翼作家联盟。之后在国统区做地下工作，参与组织群众运动。1936年参加“两个口号”的论争，正式开始文艺理论的研究与写作。1941年在中国文艺界抗敌协会延安分会负责研究工作。1946年到山东文协接编《山东文化》。1955年刚从华东文化局调中央文化部，即受胡风冤案牵连。1979年冤案得以平反，任中国大百科全书出版社副总编辑，1982年离休。

生活·读书·新知三联书店

2013年8月

光华书店 1947 年 5 月初版书影

（此封面系借自苏联・威绥斯拉夫崔夫作插画）

論文學的工農兵方向

著者　雪　葦
出版者　光華書店
發行者　光華書店
各地

LUN WENSHIO DE
GUNGNUNCBING FANSHIANG
SIUE WEI ZHU

一九四八年四月
在大連印造
初版發行三千册

No. 171 D. 0001——3,000

原书版权页

目次

新文学的历史说明什么

一

要明了《在延安文艺座谈会上的讲话》究竟解决了什么问题，在中国新文学的建设上作了如何贡献，它里面的观点具有何等样的正确性；首先得从中国新文学的历史来加以考察。

那么，新文学的历史说明了什么呢？

二

我国新文学的历史，开始于民国六年即一九一七年的“文学革命”运动，首先发难的文章，是揭载于《新青年》杂志上的《文学改良刍议》（胡适，一九一七年一月）和《文学革命论》（陈仲甫，一九一七年二月）。第二年（一九一八年）五月，鲁迅发表了白话创作小说《狂人日记》（同载《新青年》），才“算是显示了文学革命的实绩”，奠下中国新文学坚不可拔的战斗基础。经过民国八年（一九一九年）的“五四”运动，新文学得与广大的社会革命力量相结合，获取广大群众的支持和传播，使其影响普遍全国。直到“五四”退潮，与新民主主义的革命力量第一次发生分化和新民主主义的革命运动获得最初一步的发展同时，同样的过程也在新文学的阵营里进行。这样，到民国九年（一九二〇年）为止，结束了新文学的开创时期，即“五四”时期。

民国六年即一九一七年，是第一次世界大战——世界帝国主义重新瓜分世界的可耻战争之第四年，世界大战使得帝国主义在中国的侵夺暂时削弱，遂有中国资本主义一时的向上发展；同时，更重要的是：此正处在二十世纪战争与革命的第一个周期，这一年（一九一七年），和我们有密切关系的俄罗斯，就在胜利的进行着惊天动地的二月革命和十月革命；接着又是欧洲各国革命高潮的到来。相同于世界无产阶级的第一次大觉醒，我国人民这时也开始了第一次真正从思想上起来的苏醒，所谓“工农兵学商”，虽有不同的认识和不同的深刻程度，但都各自要求解除其被封建势力与帝国主义套上的枷锁。在这样的国际背景和国内环境之下，我们文学革命运动的先驱者们，特别是以鲁迅、刘半农、钱玄同等为代表的绝大部分，真为郑振铎所说，他们是“扎硬寨、打死战”的。(《中国新文学大系》第二卷“导言”）然而当时的领导思想（不是个别人的思想）究竟是怎样一种情况，我们还应当弄个清楚。

“五四”时期建设中国文学的**一般领导思想**，当时所明确要求的是要建设一个“新”文学，一个用现代人的话（活人说的白话）来写现代人的思想（活人的思想）的文学，反对用死人的话（文言）来写死人的思想（封建思想）的文学；因此，在文学内容上，主张民主主义而反对封建主义，反抗儒家思想对文学的统治；在文学的工具——文字上，则主张白话文而反对文言文，反抗死文字对活文学的束缚；并要以这民主主义的文学取封建主义的文学“正统”地位而代之为中国文学的正宗。这都是当时先驱者们的实际功绩所在，不能湮没的。可是，这新文学究竟如何“新”法，这“现代”是什么样的现代，那就十分朦胧：从“文艺复兴”的文学到“世纪末”的文学，从资产阶级革命的文学到资产阶级没落的文学，都是“新”的、“现代”的，都在欢迎之列。

胡适的《文学改良刍议》，主要提出“八不主义”——

> 一曰，须言之有物。（不做“言之无物”的文字。）
>
> 二曰，不摹仿古人。
>
> 三曰，须讲求文法。（不做不合文法的文字。）
>
> 四曰，不作无病之呻吟。（不做“无病呻吟”的文字。）
>
> 五曰，务去烂调套语。（不用烂调套语。）
>
> 六曰，不用典。
>
> 七曰，不讲对仗。（不用对偶：——文须废骈，诗须废律。）
>
> 八曰，不避俗语俗字。

一、二、四条都是有关文学内容的主张，重要的则只是第一条。但他对“言之有物”的“物”是这样解释的：

> 吾所谓“物”，非古人所谓“文以载道”之说也。吾所谓“物”，约有二事：
>
> （一）情感《诗序》曰：“情动于中而形诸言。言之不足，故嗟叹之。嗟叹之不足，故咏歌之。咏歌之不足，不知手之舞之，足之蹈之也。”此吾所谓情感也。情感者，文学之灵魂，文学而无情感，如人之无魂，木偶而已，行尸走肉而已。
>
> （二）思想　吾所谓“思想”，盖兼见地、识力、理想三者而言之，思想不必皆赖文学而传，而文学以有思想而益贵；……思想之在文学，犹脑筋之在人身。人不能思想，则虽面目姣好，虽能笑啼感觉，亦何足取哉？文学亦犹是耳。

这里，“情感”和“思想”都是只解释得个名词本身，此外就没说明些什么。过了一年多，民国七年即一九一八年四月，他在《建设的文学革命论》里，不过把这“八不”概括成“四条”：“一，要有话说，方才说话；二，有什么话，说什么话；三，要说我自己的话，别说别人的话；四，是什么时代的人，说什么时代的话。”在内容上并没有什么进展。甚至于说，他“建设新文学论的唯一宗旨只有十个大字：国语的文学，文学的国语”。换句话，他所着眼的就只“白话”两个字。但是就连这个，也表现了很大的软弱性。[1]陈仲甫的《文学革命论》

---

[1] 我们一谈到“五四”文学革命，总往往把胡适的作用作过分估计；其实，自始至终，他都带着极大的改良与妥协的色彩，于实际上的贡献是很有限度的。胡适本人，虽然有种种的辩解，说：“我们认定文字是文学的基础，故文学革命的第一步就是文字问题的解决。……我们也知道单有白话未必就能造出新文学；我们也知道新文学必须要有新思想作里子。但是我们认定文学革命须有先后的程序：先要做到文字体裁的大解放，方才可以用来做新思想新精神的运输品。”（《尝试集自序》，民国八年——一九一九年八月）又说：“在那个贫乏的时期，我们实在不配谈文学内容的革新，因为文学内容是不能悬空谈的，悬空谈了也决不会发生有力的影响。”（《中国新文学大系》第一卷“导言”，民国廿四年——一九三五年九月）但是也承认了，他所努力的只是一个文学“文字工具的革新”。自然，如果他不是倒果为因，认为文字是文学的基础而不是认为思想是文字的基础的话，他也许当时会多做出一点事情来吧。但是还应指出，仅是这一文字工具革新的问题，他的主张也非常之软弱。比方，“八不主义”中的“不用典”

（一九一七年二月）在战斗的意义上蓬勃得多。他声言：

余甘冒全国学究之敌，高张“文学革命军”大旗，以为吾友之声援。旗上大书特书吾革命军三大主义：曰，推倒雕琢的阿谀的贵族文学，建设平易的抒情的国民文学；曰，推倒陈腐的铺张的古典文学，建设新鲜的立诚的写

一项，先是自己把“典”分成广狭二种，而被他认为“广义”的典就有五种：“（甲）古人所设譬喻，其取譬之事物，含有普通意义，不以时代而失其效用者。（乙）成语。（丙）引史事。（丁）引古人作比。（戊）引古人之语。”都是“非吾所谓典也”的；剩下来的“狭义之典”，又分工拙，而“工者偶一用之，未为不可”。（以上均见《文学改良刍议》）真是如李何林所说：“这样一来，直把不用典变成为不是反对用典，反而主张用典了——用典须工，拙者当痛绝之。”（《近二十年中国文艺思潮论》，四〇页）当时钱玄同也就对之提出过异议，认为胡适是“未免依违于俗论”，而主张：“凡用典者，无论工拙，皆为行文之疵病。”（“一、寄陈独秀”——《关于文学革命的两封信》）再如“白话”问题，他主张的白话，实是百年以前的书本话，即从《水浒传》等小说学来，并非活人的口语；对于这个“今日的白话”，他只给予一个“补助”的地位。所以他在《建设的文学革命论》里说：“我们可尽量采用《水浒》、《西游记》、《儒林外史》、《红楼梦》的白话；有不合今日用的，便不用它；有不够用的，便用今日的白话来补助；有不得不用文言的，便用文言来补助。”倒是傅斯年在《怎样做白话文》（《新潮》）里来纠正他，指出白话文必须根据现在活人的语言，而不是书本。

实文学；曰，推倒迂晦的艰涩的山林文学，建设明了的通俗的社会文学。

然而主要只说明了应被打倒的一面，即是所谓："此种文学"，"其形体则陈陈相因，有肉无骨，有形无神，乃装饰品而非实用品；其内容则目光不越帝王权贵，神仙鬼怪，及其个人之穷通利达。所谓宇宙，所谓人生，所谓社会，举非其构思所及"。至于正面主张，几止于写出几个口号。到第二年（民国七年即一九一八年）一月，在他写的《本志（即〈新青年〉。——雪）罪案之答辩》里，才更明白些说明：其所以要反对封建文学，是为了拥护科学和民主：

要拥护德先生（民主），便不得不反对礼教、礼法、贞节、旧伦理、旧政治；要拥护赛先生（科学），便不得不反对旧艺术、旧宗教；要拥护德先生又要拥护赛先生，便不得不反对国粹和旧文学。

但也就止于这里了。周作人底《人的文学》(一九一八年十二月,《新青年》五卷六号),是被大家公认为“五四”文学革命的一篇“最重要的宣言”,胡适在《中国新文学大系》第一卷的“导言”里,还说“这是篇最平实伟大的宣言,它的详细节目,至今(一九三五年)还值得细读”的,可见确是足以代表当时一般领导思想的最高水平了。这里确也干脆的提出了问题:“我们现在应该提倡的新文学,简单的说一句,是“人的文学”。应该排斥的,便是反对的、非人的文学。”不过也止于解释出个抽象笼统的原则。

> 我所说的人,乃是“从动物进化的人类”。其中有两个要点:(一)“**从动物**”进化的;(二)从动物“**进化**”的。
>
> 人的理想生活,……首先便是改良人类的关系,须营一种利己而又利他,利他即是利己的生活。
>
> 用这人道主义为本,对于人生诸问题加以记录研究的文字,便谓之“人的文学”。

文学是被安置在现实的人生社会上面了，但是没有具体的方向，对我们这时代、这社会以及社会里的这些“人”，都没有具体的认识。这就是“五四”先驱者们的一般限界。所以运用到写作实践方面，就把一切都当作“材料”，只要是社会上存在的都行；也不要求什么立场观点，只要是从“实地观察”得来的都对。胡适在《建设的文学革命论》里就是这样说的：

> 收集材料的方法：中国的“文学”，大病在于缺少材料。那些古文家，除了墓志、寿序、家传之外，几乎没有一毫材料。……至于近人的诗词，更没有什么材料可说了。近人的小说材料，只有三种：一种是官场，一种是妓女，一种是不官而官，非妓而妓的中等社会（留学生、女学生之可作小说材料者，亦附此类）。除此以外，别无材料。……我以为将来的文学家收集材料的方法，约如下：
>
> （甲）推广材料的区域　官场妓院与龌龊社会三个区域，决不够采用。即如今日的贫民社

会，如工厂之男女工人，人力车夫，内地农家，各处大负贩及小店铺，一切痛苦情形，都不曾在文学上占一位置。并且今日新旧文明相接触，一切家庭惨变，婚姻苦痛，女子之位置，教育之不适宜，……种种问题，都可供文学的材料。

（乙）注重实地的观察和个人的经验 现今文人的材料大都是关了门虚造出来的，或是间接又间接的得来的……。真正文学家的材料大概都有"实地的观察和个人自己的经验"做根底。不能作实地的观察，便不能做文学家；全没有个人的经验，也不能做文学家。

（丙）要用周密的理想（想象）作观察经验的补助……。

这样的情况，直到第一次发生新文学阵营内部的分化为止。

中国新民主主义革命运动及新文学运动的第一个分化内容，就是激进的革命知识分子更激进，更加革命化；而改良派则趋于和旧势力（封建势力与帝国主义势力）妥协，离开革命阵营，甚至于反革命。这结果，在政治领域里是中国共产党的成立（民国十年即一九二一年七月）；在文学领域里，就其所代表的思想意义来说，则是“文学研究会”的产生（民国十年即一九二一年一月）。中国共产党，这个中国工人阶级的参谋部，一开始就明确的为中国人民订出了反帝反封建的政纲，以工人和农民为骨干，号召一切革命的阶级团结奋起，并争取与资产阶级合作，进行反帝反封建的民主革命。这种情况的出现，是因为这时帝国主义的分赃战争已经结束，其对中国的压迫又“卷土重来”，外来压迫的增加，反映在国内反动势力的抬头和封建军阀统治的野蛮性上；“五四”群众运动也开始退潮，潜入社会深处发展；同时，俄国十月革命已经胜利，并进行了顽强有力的国内战争，巩固了苏维埃政权，而这胜利是无产阶级的胜利，劳动人民的胜利；这使得我国的劳动人民受其影响（首先是革命的知识分子），更加深其革命的觉悟。这样，一方面是压迫力量的加强，残暴者更加残暴；另方面是革命力量的深入，进步者愈向前进步。这就是形成这次分化之内外背景。从这时起（一九二一年），一直到民国十六年（一九二七年）又发生第二次的更为深刻的分化为止，在政治上是大革命的准备和实行；在文学上，则与此步调相合，是新文学的第一个发展建设的时期，“文学研究会”的时期。在这里，新文学之开创时期所遗留下来的问题，在一般的领导思想上，得到一个进一步的解决。

作为对“五四”时期所遗留下来的问题之解决，首先，是更明确化了时代和文学的关系，特别是时代和作家的关系。

> 一个时代有一个环境，就有那个时代环境下的文学。环境本不是专限于物质的；当时的思想潮流，政治状况，风俗习惯，都是那时代的环境，著作家处处暗中受着他的环境的影响，决不能够脱离环境而独立的。即使是探索宇宙之秘奥的神秘诗人，……就是并不提起他的环境，但是他的作品的思想一定和他的大环境有关；即使是反乎他那时代的思潮的，仍旧是有关系。因为他的“反”，是受了当时思潮

的激刺，决不是凭空跳出来的。(沈雁冰:《文学与人生》)

其次，从这样的理解出发，进一步肯定了文学是“为人生”的，而且要改造这人生：

……我们希望文学能够担当唤醒民众而给他们力量的重大责任，我们希望国内的文艺的青年，再不要闭了眼睛冥想他们梦中的七宝楼台，而忘记了自身实在是住在猪圈里。我们尤其决然反对青年们闭了眼睛忘记自己身上戴着镣锁，而又肆意讥笑别的努力想脱除镣锁的人们，……

巴比塞说:“和现实人生脱离关系的悬空的文学，现在已经成为死的东西；现代的活文学一定是附着于现实人生的，以促进眼前的人生为目的的。”国内的文艺青年呀，我请你们再三的忖量巴比塞这句话！(沈雁冰:《大转变时期何时来呢》)

因此，进一步在写作方向上提出作家应该着眼的是社会的病苦，前进与保守的斗争，描写社会的黑暗，同情被压迫的人物——

真的文学也是反映时代的文学。我们现在的社会背景是怎样的社会背景？应该产生怎样的创作？由浅处看来，现在社会内兵荒屡见，人人感着生活不安的苦痛，真可以说是乱世了；反映这时代的创作应该怎样的悲惨动人呀？如再进一层观察，顽固守旧的老人和向新进取的青年，思想上冲突极厉害，应该有易卜生的《少年社会党》和屠格涅夫的《父与子》一样的作品来表现它。……总之，我觉得表现社会生活的文学是真文学，是与人类有关系的文学，在被迫害的国里更应该注意这社会的背景。（沈雁冰：《社会背景与创作》）

注意社会问题，爱被损害者与被侮辱者。（沈雁冰：《自然主义与中国现代小说》）

这就是说，不只是“一个时代有一个时代的文学”，而且文学必然是与当前的时代息息相关的，所谓“新文学”，就是“为人生”的文学，所谓“人的文学”，就是描写社会痛苦与社会新旧势力斗争的、同情社会下层人物的文学。从这个出发，他们反对“鸳鸯蝴蝶派”，也反对“世纪末”的资产阶级没落文学，不管“唯美派”也好，“颓废派”也好。从“五四”时期来看，这在“新文学”的思想发展上，当然是一个很大的进步；但是，单说个“为人生”，也还嫌笼统的。“人生”是阶级的人生，你为的是那一阶级的人生呢？为资产阶级的人生吗？还是为小资产阶级的人生？抑是为工农的人生？单说个“同情”（这个“同情”本身的问题还不说）被压迫者，也同样是含糊的。被压迫者也有种种，你主要“同情”那一个呢？小市民吗？小资产阶级知识分子吗？工人农民吗？程度虽有不同，但都是受着压迫的。甚至民族资产阶级，也还受着帝国主义与买办官僚资本的压迫呢。——这都是一些新的问题，这些问题，也是同样没有在这里得到解决的，须待第二次的分化——阶级大分化的到来。[1]

---

[1] 我这样来概括大革命时期的文学领导思想，并不是把创造社的活动放在观察以外的。因为从客观表现来看，从作品的实际反映来看，创造社并没有越出这个思想范围之外：他们的作品，大体也是暴露了这一现实人生，并反抗这人生的；这才正是创造社历史上的光荣。而我们在论述历史的时候，当然应该根据实际表现来看问题，而不是单根据宣言和口号。自然，创造社是曾主张表现自我，发挥个人“天才”，描写自己“灵魂”的。所谓：

> 艺术界里面，有许多人的艺术被别人称“为艺术的艺术”，他们尤为研究社会问题的人所集矢。这也不能说是公允的事。既是真的艺术，必有它的社会的价值；它至少有给我们的美感。我们不能因为它的社会的价值低微便责备它。(《艺术之社会的意义》，一九二四年二月)
>
> 文艺也如春日的花草，乃艺术家内心之智慧的表现。诗人写出一篇诗，音乐家谱出一个曲，画家绘成一幅画，都是他们天才的自然流露：如一阵春风吹过池面所生的微波，是无所谓目的的。(《文艺之社会的使命》，一九二三年)

可是得具体些看；他们不是生长呼吸在十八世纪的欧洲，而是被组织在廿世纪的中国现实里；并且，特别因为他们一般都是遭受过家庭破产和经历过或经历着都市流浪的小资产阶级知识分子，对于中国的社会现实，是尤所敏感的。他们深感自己社会地位之可怜：

> 我们的时代是一个弱肉强食，有强权无公理的时代，一个良心枯萎，廉耻丧尽的时代，一个竞于物利，冷酷残忍的时代；我们的社会的组织既与这样的时代相宜，我们的教育又是虚有其表。(《新文学的使命》，一九二三年五月)

中国革命在民国十六年（一九二七年）的分化，是一个意义重大的、巨大而深刻的分化。这分化的起因，是由于大资产阶级篡夺了“国民革命”的领导权，帝国

并且常常在要求着主观的反抗：

> 中国的政治生涯几乎到了破产的地位。野兽般的武人之专横，没廉耻的政客之蠢动，贪婪的外来资本家之压迫，把我们中华民族之血泪排抑成黄河、扬子江一样的赤流。
>
> 我们暴露于战乱的惨祸之下，我们受资本主义这条毒龙的巨爪的蹂弄。我们渴望着和平，我们景慕着理想，我们喘求着生活之泉。
>
> 我们反对资本主义的毒龙。……我们的运动要在文学之中爆发出无产阶级的精神，精赤裸裸的人性。我们的目的要以生命的炸弹来打破这毒龙的魔宫。(《我们的文学新运动》，一九二三年五月）
>
> 我知道现在的我们正和革命前的俄国青年一样，是刚在受难的时候。但这时候我们非要一直的走往前去不可！我们即使失败了，死了，我们的意志是可以永久生存下去的。所以最后我想学了马克思和恩格斯的态度，大声疾呼的说：世界上受苦的无产者，在文学上社会上被压迫的同志，反对有权有产阶级的走狗对敌的文人，我们大家不可不团结起来，结成一个世界共和的阶级，百屈不挠的来实现我们的理想！我确信“未来是我们的所有”。(《文学上的阶级斗争》，一九二三年五月）

所以这个“自我”，仍不得不是血淋淋的“自我”，遭受着社会苦难的、“被

主义的分化进攻政策；分化的内容，是资产阶级的叛变革命，投降帝国主义与封建势力，血洗中国共产党与工、农、小资产阶级革命群众——大革命的恩人；其结果，

侮辱与被损害”的“自我”。这就是郑伯奇所说的：“所谓‘象牙之塔’一点没有给他们准备着。他们依然是在社会的桎梏之下呻吟着的‘时代儿’。”（《中国新文学大系》第五卷“导言”）所以其写作实践，客观上不能不与此时期的指导思想一致，如其所要求：也还是一种表现出了中国这现实人生的文学。只是当从主观上来考察时，因为究竟是以主观主义、唯心主义出发，虽感到社会的残酷与个人被限制的痛苦，而对于现实中国之客观的认识，还是有如蒙了一层黑面纱，常常“夸大”，常常“写歪”，并不是看得很清楚的。所以，当现实社会的强烈运动紧迫上来，工农兵群众以无比的威力摇撼一切的时候，（大革命爆发）首先被这吼声所吓醒的，不得不是他们自己。如瞿秋白所说：“时代的电流使创造社起了化学的定性分析”，很快“就像触了电似的分解了”。（《大风》半月刊）但因其小市民性的根底，并作为其特色，这不是主观主义的结束而反是主观主义的更张：又叫喊着并不实际的“新大陆”之发现。这样，认识上的混乱当然无从避免：

> 我们现在所需要的文艺是站在第四阶级说话的文艺，这种文艺在形式上是写实主义的，在内容上是社会主义的。（《文艺家的觉悟》，一九二六年五月）
>
> 我们中国的民众大都到了无产阶级的地位了，……那吗我们的革命，不根本还是以无产阶级为主体的力量对于他们有产阶级的斗争吗？所以我们的国民的或者民族的要求，归根是和他们资本主义国度的无产阶级的要求完全一致。我们要要求从

则是中国革命中各阶级力量的重新组合，中国无产阶级——中国共产党人不能不独立来继续领导中国革命，坚决依靠农民与团结小资产阶级，顽强的拿起武器来防御自己以抵抗屠杀，用武装的革命以反对武装的反革命。所以，资产阶级在内的“全民革命”没有了，一般的民主自由与民族独立思想也具体化、鲜明化了：代之而起的是“无产阶级的领导”，是科学社会主义——马克思主义的世界观，是工农民主专政的

经济的压迫之下解放，我们要要求人类的生存权，我们要要求分配的均等。

你们要晓得我们所要求的文学是表同情于无产阶级的社会主义的写实主义的文学，我们的要求已经和世界的要求是一致。（《革命与文学》，一九二六年五月）

关于文学一般的永远性，我们可以得一个简明的公式：（真挚的人性）＋（审美的形式）＝（永远的文学）

因为革命文学究不过在一般文学之外多有一种特别有感动力的热情，所以也可得一简明的公式：（真挚的人性）＋（审美的形式）＋（热情）＝（永远的革命文学）（《革命文学与它的永远性》，一九二六年六月）

但是，虽好像一个人突然从梦里惊醒起来，一时无主，摸不清方向；然而既惊醒了，总是要转个方向，与旧的有所分离。这便是一九二六年创造社一些“极左”的论文所表现的意义。

政权。[1]大革命时期的前进作家们，既大部分都亲身参加了这一革命过程，其结果当然不能不也在文学领域里引起同样巨大的分化：文学领导思想的新进展与文学阵营的重新结合。这结果，便是“左翼作家联盟”的成立（一九三〇年三月）。用鲁迅的话来说，这情形就是:“政治环境突然改变，革命遭了挫折，阶级的分化非常显明，国民党以‘清党’之名，大戮共产党及革命群众，而死剩的青年们再入于被压迫的境遇，于是革命文学在上海这才有了强烈的活动。所以这革命文学的旺盛起来，在表面上和别国不同，并非由于革命的高扬，而是因为革命的挫折。”(《上海文艺之一瞥》——《全集》第四卷，二八三页)

[1] 毛泽东叙述这一转变的情形说:“第三时期，是一九二七至一九三六年的新的革命时期。因为在前一时期的末期，革命营垒中发生了变化，中国资产阶级转到了帝国主义与封建势力的反革命营垒；革命营垒中原有三个阶级，这时剩下了两个，剩下了无产阶级与小资产阶级（包括农民、革命知识分子、与其他小资产阶级），所以这时候，中国革命就不得不进入一个新的时期，而由中国共产党单独地领导这个革命。这一时期，是一方面反动围剿，又一方面革命深入的时期。这时有两种反动围剿：军事围剿与文化围剿。也有两种革命深入：农村革命深入与文化革命深入。”(《新民主主义论》)

从民国十六年（一九二七年）到民国二十五年（一九三六年），就是中国新文学发展史上的第三个时期，“左翼十年”的时期。这一时期文学领导思想的一个很大的进展，就是从文学的进化论观点的认识具体到文学的阶级论观点的认识：当前的社会是阶级的社会，在阶级社会时代，社会的进化是通过阶级斗争来进行的；那么，文学就不是一般“时代的反映”或“人生的反映”，而是阶级思想、阶级斗争的反映；因此就不是一般的“为人生”，而是具体的“为阶级”：是阶级斗争的武器了。于是，首先被肯定下来的大前提，便是文学的阶级性之明确肯定的认识：

> 文学不借人，也无以表示“性”，用人，而且还在阶级社会里，即断不能免掉所属的阶级性，无需加以“束缚”，实乃出于必然。自然“喜怒哀乐，人之情也”；然而穷人决无开交易所折本的懊恼，煤油大王那会知道北京捡煤渣的老婆子身受的酸辛；饥区的灾民，大约总不去种兰花，像阔人的老太爷一样；贾府上

的焦大，也不爱林妹妹的。（鲁迅：《硬译与文学的阶级性》——《全集》第四卷，二一四页）

文学既是阶级的文学，那么，革命作家的地位在什么地方呢？一般“**同情**被侮辱者与被损害者”的答复也不够了，现在的答复是**站在工农方面**来，为劳苦大众服务。于是，与这时革命运动的“工农民主革命”旗帜相应，提出了“无产阶级的革命文学”的口号，即为无产阶级思想所领导的工农劳苦大众文学的口号，也就是新民主主义文学的口号。

并明白确定所有革命作家的全部目的，是在于将文学为**工农服务**：

中国的无产阶级革命文学在今天和明天之交发生，在诬蔑和压迫之中滋长，……

我们的劳苦大众历来只被最剧烈的压迫和榨取，连识字教育的布施也得不到，惟有默默地身受着宰割和灭亡。繁难的象形字，又使他们不能有自修的机会。智识的青年们意识到自

> 己的前驱的使命，便首先发出战叫。这战叫和劳苦大众自己的反叛的叫声一样地使统治者恐怖，……
>
> ……因为这是属于革命的广大劳苦群众的，大众存在一日，壮大一日，无产阶级革命文学也就滋长一日。我们的同志的血，已经证明了无产阶级革命文学和革命的劳苦大众是在受一样的压迫，一样的残杀，作一样的战斗，有一样的运命，是革命的劳苦大众的文学。（鲁迅:《中国无产阶级革命文学和前驱的血》——《全集》第四卷，二六七，二六八页）

至于“如何为法”，也给了答复：第一当然要是“属于革命的广大劳苦群众的”、“和革命的劳苦大众……作一样的战斗”,“是革命的劳苦大众的文学”。第二是:“在现下的教育不平等的社会里，仍当有种种难易不同的文艺，以应各种限度的读者之需。不过应该多有为大众设想的作家，竭力来作浅显易解的作品，使大家能懂、爱看，以挤掉一些陈腐的劳什子。”（鲁迅:《文艺的大众化》——《全集》第七卷，七七三页）这就是文学的大众化工作——普及工作。

这样，问题已经解决到这个地步：文学是有阶级性的，在阶级社会里，决没有超阶级而存在的文学；因此，我们的文学应为工农劳苦大众服务；这服务当然首先是指作品的内容而言，但在中国工农大众文化水平很低的情况里，应该多有人来从事浅显易懂的作品之写作。

中国新文学的指导思想发展到文学是“为工农”底认识的地步，自然是一个巨大的进展。可是如果问题只答复到这里为止，还不能算是将问题作了**最后的**彻底解决；因为从我们的实际情况看来，文学之“为工农”的**一般提出**，才算**开始接触到**问题的核心，实在的问题正安置在这前提之下。在被认为已经解决的地方，不过是一个问题：当前的左翼作家，一般既不是工人，也不是农民，而是非工农出身的小资产阶级知识分子。而且，他们既没有经过工厂生活、有许多工人朋友；也没有下过农村、和农民有密切的接近。这还能做得成“工农作家”么？还写得出以工农为主人翁的作品来么？——这个问题之解决与不解决，决定着“为工农”的方向之能否获得“在实际上，在行动上”（《在延安文艺座谈会上的讲话》）的贯彻，能否获得“在实际上，在行动上”的解决。

现在仍从**一般的领导思想**来考察一下。

对于这个问题，民国十七年（一九二八年）就曾经有过这样干脆的答复：

> 无产阶级的生活，资产阶级的作家也可以描写。资产阶级的描写，在无产阶级的文艺中也是不可缺少的。要紧的是看你站在那一个阶级说话。普罗列塔利亚特中有革命的工贼存在。从普罗列塔利亚特出身的文士，也不能保无“文贼”。所以无产者所作的文艺，不必便是普罗列塔利亚特的文艺。**反之，不怕他昨天还是资产阶级，只要他今天受了无产阶级精神的洗礼，那他所作的作品也就是普罗列塔利亚特的文艺**。（《桌子的跳舞》。重点是我加的。——雪）

问题既是不在于写什么阶级的生活（事实上是都得写

的），而“昨天”的资产阶级“今天”又可以成为无产阶级作家，“转变”的过程是这样神速，当然更不在于作家的阶级而在于他“精神的洗礼”了；那么，这“精神洗礼”的内容是什么呢？答复是“世界观”：只要获得“无产阶级的世界观”，无论什么人（资产阶级在内）写无论什么（无产阶级在内）都行；不然，无论什么人（无产阶级在内）写无论什么都不行。所谓——

> 努力获得辩证法的唯物论，努力把握着唯物的辩证法的方法，它将给你以正当的指导，示你以必胜的战术。（《从文学革命到革命文学》）
>
> 如果我们要站在无产阶级的世界观上，描写暴露小资产阶级的生活，为革命潮流打出一条出路，使小资产阶级的智识分子站到无产阶级领导之下来，这是大该而特该的了！如果站在这个立场上，不但应该描写小资产阶级，并且，应该暴露资产阶级；不但是专为劳苦群众的工农诉苦。

> 单描写客观的现实，是空虚的艺术至上论，是资产阶级的麻醉剂。(《评茅盾的〈从牯岭到东京〉》)

因此，即令要写工农大众的生活及其斗争，至多——其所以是“至多”，因为既是“不在于写那一阶级的生活”，写不写工农便是次要的了。——也只是个“体验生活”——“熟悉题材”(或“收集材料”)的问题，更不是作家本身的问题了：

> 譬如我们要表现“五卅”，我们即使没有跳在那个漩涡之中，我们可以去访问那时的当事的人，可以考核当时的文献，经过相当的缜密的研究，我可以相信我们一定可以生出一个伟大的直观，激刺我们的创作欲。又譬如我们要表现工人生活也是一样，我们率性可以去做工人，去体验那种生活。像辛克来的《石炭王》一类的作品，那没有到炭坑里面去研究过是绝对写不出的呀！(《桌子的跳舞》)

这个基本论点（“无产阶级”与否的关键在世界观，世界观的建立在获得唯物辩证法，要体验生活只是为了熟悉题材）没有得到否决，[1]左翼文学运动便发生了“两极”发展的倾向。首先，是只要按照“唯物辩证法的方法”来写就行，按照着这样的公式，即所谓：“描写旧的之中的新的产生，描写今天中的明天，描写新的对于旧的克服”等等。于是，公式主义（洋八股）的作品就跟着公式主义的理论大量产生，而且在这种观念下，小资产阶级知识分子的夸大狂发展起来，毫无问题的认为自己已经是“无产阶级作家”，因为依照这标准来衡量，他是完全“有资格”的。可是，用这样的“方法”来写“现实事物”，什么事物也不像；用这样的方法来写工农，任何工农都不是的。终于觉得非清算不可了。正在

[1]“转变”论虽跟着“新写实主义”口号的批判而失去魔力，但“左联”并没有从思想根底上将其影响消除。这原因之一，就是“世界观”与“熟悉题材”的论点没有得到解决。“世界观”的论点，这个把问题的解决放在书本上的论点，原先并没有在“左联”取得领导地位的承认，可是却不期然而然的得到后来“唯物辩证法创作方法”论的援助，所以拖延到一九三五年没有彻底清算，而在领导思想上取得优势；体验生活是为了熟悉题材的论点，因此更不能解决，一直没有在原则上提出来批判过，直到一九四二年延安文艺座谈会为止。

这个时候，“唯物辩证法创作方法”的理论在苏联被清算，代之而起的新口号是“社会主义的现实主义”，为针对过去的缺点，于是强调“写出真实来”；强调“写你所熟悉者”；强调“世界观与创作方法”的区别甚至矛盾；强调政治上的共产党员与实际上的共产主义作家的区别；等等。这些未始不对，然而，我们是教条主义的来对待这些，在这些理论、口号的下面，实际是利用着这些，逐渐委婉自然地孕育起自由主义来。由于对巴尔札克、托尔斯泰的称赞的引例，开始了对“古典作品”与“古典作家”实际是无批判的崇拜心理。这个，便在左翼作家的内心里，开始了实际上甚至是不知不觉的回复到小资产阶级本色去的道路：以本身为法则，放任纵情于“自己”小资产阶级本性的自由发挥。这是从“公式主义”到“自由主义”的过程，但已经是左翼十年的末期了。

这样，整个左翼时期，文学的“为工农”问题没有得到**实际的，彻底的**解决：第一，对左翼作家自身的小资产阶级性，没有提出**自我改造**的课题，根本对于这一点没有自觉的理解，用毛泽东的话，就是“还不大清楚无产阶级与小资产阶级的区别”。因此小资产阶级观点、感情、趣味普遍的在作品里存留；因此第二，就没有产生真实的写工农的作品，“倘若描写，也是衣服是工农兵，面孔却是小资产阶级”。（《在延安文艺座谈会上的讲话》）到了末期，除了教条主义影响之外，加以新形势的到来，抗日民族统一战线的开始提出，一九三六年春“左联”组织的解散以及对公式主义的认真清算等，这些都是对的，并且获得成绩；但在“为工农”的努力上，更加显得是后退了。[1]

---

[1] 在新文学发展的这一中心问题上，与“五四”以来的一般领导思想有所区别，鲁迅应放在一个更高的地位上。向来不是以文学理论批评为主要任务的鲁迅，他的思想，在每个时期，均超出于当时的一般领导思想之上。比方文学是“为人生”的问题，是在他一开始文学生活的时候（一九〇六，光绪三十二年）就成熟了的。大家知道他的弃医而就文学，就是为了“想利用他的力量，来改良社会”，“以为文学必须是为人生，而且要改良这人生”（《我怎样做起小说来》）。思想的前进程度，那就很远。再就是关于文学作品和作者的关系问题，他早在一九二八年之前，就发表过这样的意见，说作品革命与否，要先看作家自己怎样。如在《而已集》（一九二七年）的《革命文学》一文里，他就说：“我以为根本问题是在作者可是一个‘革命人’，倘是的，则无论写的是什么事件，用的是什么材料，即都是‘革命文学’。从喷泉里出来的都是水，从血管里出来的都是血。‘赋得革命，五言八韵’，是只能骗骗盲试官的。”（《全集》第三卷，五二五页）又在关于“文学的阶级性”通信（一九二八年）里说：“不相信有一切超乎阶级，

经过民国二十五年(一九三六年)的“双一二”事变，国内和平一般的取得，在广大人民的压力下，使得“顽固派”不能不“策略”；这样便开始全国性的抗日战争。虽然如此，但两大阶级(资产阶级与无产阶级)的关系，有了一个显然的变化：抗日民族统一战线在实际上于相当程度内形成了，国共两党又有某种形式的合作。反映

文章如日月的大文豪，也不相信住洋房，喝咖啡，却道‘唯我把握住了无产阶级意识，所以我是真的无产者’的革命文学者。”(《三闲集》,《全集》第四卷，一三六页)这些都可看出他一贯的观点：如果非工农出身的人，不实行切实的自我改造，那怕自己以为怎样的“获得无产阶级意识”，都是“只能骗骗盲试官”的。而在“左翼作家联盟”成立会上的演说(一九三〇年)，虽不如《在延安文艺座谈会上的讲话》明确而直接，但大体上，他当时已把小资产阶级知识分子的改造问题提示出来了：他一开头便提出“左翼”容易变成“右翼”的问题，强调这些小资产阶级革命知识分子作家要与实际斗争接触；强调革命知识分子要把自己和工农一样看待，不可自视特殊；强调不能以“文学”作“敲门砖”等等都是。所以，鲁迅完全没有陷在“世界观”论里而不能自拔，且毋宁说，他是一直在反抗这种包含着浓厚的小资产阶级底投机性的观点。这样，在那时的客观条件下,(除左翼作家的小资产阶级性外，还加上白色恐怖的压迫，作家不能和工农自由接近的实际困难。)他对当时写作的要求是极其实事求是的。他说：“在现在中国这样的社会中，最容易希望出现的，是反叛的小资产阶级的反抗的或暴露的作品。……对于这些作品，我以为实在无须称之为无产阶级文学，作者也无须为了将来的名义起见，自称为无产阶级的作家的。”(《上海文艺之一瞥》——《全集》第四卷，六八页)

在文学上，是所有赞成抗日的作家都组成了“中华全国文艺界抗敌协会”。

战抗前五年（一九三七——一九四一年）的文学，积极的方面是发挥了空前广泛的文学力量来服务于抵抗日本帝国主义侵略的、反法西斯的民族自卫战争；发动过“文章下乡与文章入伍”运动；并使若干过去脱离现实、走着资产阶级没落期“世纪末”文学道路的作家，接触了社会的现实，得到现实主义文学的洗礼，走上积极的方向；同时，也暴露了许多早已堕落着的文人如周作人、张资平、叶灵凤、杜衡（即“苏汶”）辈的本相，显出了民族败类的汉奸面孔。但消极方面，从文学的中心领导思想来说，则较之以前是薄弱的、退守的。只要看像巴人（上海）、邓拓（晋察冀）这样的进步作家，还有别的许多人，都提出了“三民主义的现实主义”或“抗日的现实主义”一类的文学口号，有的（如“三民主义的现实主义”）甚至直接与国民党的《文艺月刊》一致，（见唯明:《抗战四年来的文艺理论》；及张道藩：《国民党的文艺政策》）就可见一斑了。在广大的解放区——各抗日根据地，作家与工农兵大众的接触是自由而广泛了，但思想上由于缺乏武装——没有解决过去未解决的问题，所以还是没有得到大的成果；另一方面甚至还发展了自由主义。因为抗战以后，对于我们的文学，消极的方面（这只是说消极的方面）也有一个解放，这就是公式主义的文学理论已被清算（一九三六年）而代替它的新的文学理论尚未成熟。于是：写抗战光明吗？已经充满了“经验”，灵敏地害怕着又是“八股”；事实上，有许多年轻的作者确实在犯着这毛病。以此作根据，要“现实主义”（思想上是模胡的）。那么，驾轻就熟的道路便只能是走过去文学（二十世纪以前）的老路：“暴露黑暗”，完全拜“古典”作家（十九世纪批判的现实主义作家）为师，以小资产阶级的人性观作实际的指导方针。对于这样做的“前途”是未曾考虑的，但在“目前”，以为似乎也能尽点“革命文学的义务”。因此，大道理虽然说不出，但在心里是放心这样做的，实际上似乎也只能这样做。这个文学上的自由主义，特别在深尝过左联“历史教训”的苦味，而几年来的接触又相当有了批判的现实主义文学之淘养的作家，更为发展。这就是一九四〇、四一年主要在延安表现的文学倾向的思想来源。但自然，不是说在延安的文艺座谈会以前，就没有将左翼十年遗留下来的问题加以解决的企图。比方一九三九、一九四〇两年围绕于文学之“民族形式”问题的全国文艺界大论争，就是这样的努力企图所导引出来的。

一九三八年十月，毛泽东在中共扩大的六中全会的政治报告里论到“学习”问题时，有这样一段话：

我们这个大民族数千年的历史，有它的发展法则，有它的民族特点，有它的许多珍贵品。对于这个，我们还是小学生。今天中国是历史的中国之一发展，我们是马克思主义的历史主义者，我们不应该割断历史。

共产党员是国际主义的马克思主义者，但马克思主义必须通过民族形式方能实现。没有抽象的马克思主义，只有具体的马克思主义。所谓具体的马克思主义，就是通过民族形式的马克思主义，就是把马克思主义运用到中国的具体环境的具体斗争中去，而不是抽象的运用

> 它。成为伟大中华民族之一部分而与这个民族血肉相关的共产党员，离开中国特点来谈马克思主义，只是抽象的空洞的马克思主义。因此马克思主义的中国化，使之在其每一表现中带着中国的特性，即是说，按照中国的特点去运用它，成为全党亟待了解并亟须解决的问题。洋八股必须废止，空洞的抽象的调头必须少唱，教条主义必须休息，而代替之以新鲜活泼的、为中国老百姓所喜闻乐见的中国作风与中国气派。把国际主义的内容与民族形式分离起来，是一点也不懂国际主义的人们的干法，我们则要把二者密切地结合起来。在这个问题上，我们队伍中存在着一些严重的缺点，是应该认真除掉的。(《论新阶段》)

这段话如果要运用到新文学的建设问题上来，应该是作为对中国新文学应有再进一步发展的要求，即是要求更深与更“**中国的**”写出中国来。那么，如何才能“更深与更中国的写出中国来”呢？这就必然要接触**到真实的**

写出我们当前时代最活跃与最伟大的主人——工农兵的问题，因为他们正是最丰富与最具体的新中国的代表人物，他们正是“中国作风与中国气派”的本质之本身。如能**真实的**写出他们，就一定同时办到**真实的**写出中国，于最精彩的地方写出了我们民族，也就必然达到遗留下来的问题之解决了；如果我们真正解决了“为工农”的问题，也就从根本上解决文学的“民族形式”问题了。可是，在这次论争中，大家对于这问题的理解，是另一个样子的。首先，几乎都把“民族形式”的问题当做“文学形式（体裁）”的问题来理解；于是和“喜闻乐见”联想起来，便把这段政治报告所提出的“民族形式”单纯看做对文学之“通俗”（也即“大众化”）的要求；结果便有向林冰的因为“新质发生于旧质胎内”所以“现实主义者应该在民间形式中发现民族形式的中心源泉”之“哲学的”领会（《论民族形式的中心源泉》）；这样，不是因民族形式的提出而使其促进中国新文学、具有“五四”以来一贯革命文学传统的新文学之更向前发展，反是借此发挥一种“理论”，走向“五四”以来新文学传统的实际否定。这些观点，论争双方都大体一致。[1]胡风虽然在这次论争中辛勤地作了反对开倒车的新文学传统的保卫战，也正确的看出了“民族形式是‘五四’的现实主义传统在新的情势下面主动地争取发展的道路”(《论民族形式问题》，一九页)；看出了“反帝反封建的现实主义的文艺，经过了二十年的发展，……显然地，在今天的情势下面，我们的任务是争取这一传统底高度的发展，而不是它底否定”(同书，四四页)；看出了“克服新文艺底缺点和提出‘民族形式’，并不是要丢掉新文艺，或者用另外一种东西来代替新文艺，而是要使新文艺更健康、更发展”(同书，八四页)。可是当具体谈到如何使新文学获得“更健康、更发展”的时候，他的说明是怎样的抽象，怎样的朦胧啊——

> 怎样达到更加健康、更加深化呢？不但要加强地接受经过了长期的发展而且在急速发展着的世界革命文艺底经验、现实主义的方法，

[1] 参看胡风作的《论民族形式问题》。如要明白情形而又时间经济，则可把这些地方接读：二一页第二段起到二三页第三段止；三三页第一段起到三六页完止；再四二页第二段和四四页最后一段。(这里所指的页码，系根据海燕书店出版的“七月文丛”原本。)

从现实生活里面把握先进的思想的方法，在具体的活的形象上体现先进思想的、组成形式的方法，而且更使这方法变成在实际战斗中的作家自己底神经，成为根导线，能够通过具体的活的形象，大众底表现感情的方式、表现思维的方式、认识生活的方式，即所谓中国作风与中国气派去把握、经验、感觉，而且表现民族战争中的社会的斗争内容。方法是现实的反映，但一旦变成了主观的力量，就成为能够被接受的武器，反转来引导我们更广地更深地反映现实。……（七六页）

以现实主义的“五四”传统为基础，一方面在对象上更深刻地通过活的面貌把握民族的现实（包括对于民间文艺和传统文艺的汲取），一方面在方法上加强地接受国际革命文艺底经验（包括对于新文艺底缺点的克服），这才能够创造为了反映“新民主主义的内容”的“民族的形式”。（八四页）

这当然还是不能解决问题的。[1]

所以，可以看出，对于新文学发展第三时期所遗留下来的问题，抗战五年中也没有得到解决。

以上，便是对于二十五年（一九一七——一九四二年）来我们新文学历史发展过程的一个简略看法，根据这个看法，历史给我们留下来的这个问题，即**如何使文学之“为工农”的方向获得真实彻底解决的问题，是一个中国新文学建设之最根本、最具有决定性的关键问题**。如果说，二十五年来我们的新文学还没有完全成熟

[1] 胡风的《论民族形式问题》，最后论到文学运动——普及和提高问题的时候，曾接触了问题的核心：小资产阶级革命知识分子作家的自我改造问题。这虽然是自发的，萌芽形态的见解，但值得在这里提出来，以见《在延安文艺座谈会上的讲话》以前，我们的努力曾达到什么样的程度。如次：“和大众的结合过程决不是写一些大众化的作品，……是一个实践行动的艰苦的斗争。作家们投身到或生长自大众中间，和大众生长在一起，或者参加在血火的战斗里面，或者启发大众底文化生活，或者组织大众底文艺活动，一方面扩大文化文艺运动底影响，由这来推动实际斗争，加强地争取文化文艺发展底前提条件，一方面感受、把握活的生活现实，把大众底感情、欲望、思想等化成自己底内的经验，由这来在具体的活的形象（中国作风与中国气派）上溶化一代底生活真理；把大众底活的语言和表现感情、思维的方式等化成自己底主观能力（技术），由这来在具体的活的形象（中国作风与中国气派）上表现一代底活的人生。（一〇二——一〇三页）

的话，就是由于这个问题还没有得到解决的缘故。这样说，并不是菲薄我们新文学的历史，过低估计前人底业绩。我们新文学才有短短二十五年，而以二十五年的时间，我们就已经使得中国的文学思想从十六世纪的水平跃进到二十世纪的水平，这不能说贡献太少。当然，二十五年来我们新文学老是远远落在现实要求的后面，但是也要看看它的社会的和政治的限制：一九二一年中国共产党才成立，全国的社会政治环境，还是联合资产阶级（孙中山）在内一致作反帝反封建的共同努力，工农运动，也不像大革命后期那样成熟和发展，民族资产阶级和无产阶级的政治关系相当亲密；政治上由无产阶级单独来领导这个革命尚未成熟，文学上自不能独有“无产阶级的革命文学”之思想的产生。整个左翼十年，以及直到延安文艺座谈会以前，是没有把“为工农”的问题做到彻底的解决，但别的方面，如马克思主义文学理论水平的提高、大众化问题的研究、公式主义的清算等，做了不少，而且很有成绩；主要还应想到，十年左翼文学，是在和新社会（苏区）隔绝，特别是在和毛泽东思想隔绝的情况下作孤军奋战的；至于“左联”的内部情况，别的且不说，只说鲁迅思想之在“左联”的长期不被理解，那就够了。当时真正影响着它的强有力的东西，是小资产阶级革命家的疯狂，这和“左联”本身的特点：左倾疯狂病的成分具有极大的思想上的优势，是相互结合着的。这些，都是我们思想发展上的重大限制。**不过**，对于过去问题之所在，有加以**足够的**、**清醒的**认识之必要，应该检讨的，还是要检讨。因为只有这样，才能希望我们的继续前进减少困难和少犯错误。其所以在上面将我们新文学二十五年的历史主要作消极方面的探究者，其动因便在这里。

三

那么，为什么“如何使文学之‘为工农’的方向获得**真实彻底解决**的问题，是中国新文学建设之最根本、最具有决定性的关键问题”呢？

是的，这确实是一个问题。——“新文学”不是我们才有，十六世纪的欧洲“文艺复兴”，就是一次极大的“文学革命”，文艺复兴的文学，就是一种“新文学”

（我们的“五四”文学革命，也有人说是“中国的文艺复兴”）。但那时的伟大作家们确实不是也不可能是思想上解决了“为工农兵”的问题而后写出伟大作品的：薄加丘的《十日谈》，西迈提斯的《吉歌德先生》，沙士比亚、莫利哀的戏曲，都不是弄通了“为工农兵”的问题而后才产生的；再如十八世纪至十九世纪初期的浪漫主义文学，像雨果的《欧那尼》，也同样不是以“为工农兵”问题的解决为前提；连光辉夺目的十九世纪批判的现实主义文学，像巴尔札克、托尔斯泰、妥斯退益夫斯基、易卜生、佛罗贝尔、左拉……这些大家，都不曾以解决这个问题为条件。为什么偏我们的新文学建设非以这问题的解决为关键不可呢？

如果我们的“文学革命”是在很早很早发生，譬如在一百年以前，那我们新文学建设的基本问题可以不是这个问题。但是我们的新文学是在民国六年之后，在世界帝国主义形成及其重新瓜分世界殖民地的战争之后，也在十月革命之后才产生的。这样，我们新文学所赖以生长和发达的外部环境——国际环境，已经是二十世纪的环境。二十世纪是劳动人民的世纪，是资产阶级死亡、无产阶级及一切被压迫阶级革命及其取得胜利的世纪，是资产阶级文学的堕落与溃灭，无产阶级文学（苏联文学为主）的上升与逐渐取得世界文学地位的世纪。这样的外部环境，并不适宜于我们产生发达资产阶级的文学甚至小资产阶级的文学，至少是对于我们发达资产阶级的或小资产阶级的文学没有什么帮助，是很显然的。而和我们新文学发生和成长之最有密切关系的、最对它有决定作用的内部环境——国内环境的情形又是怎样呢?

我国封建社会是“长期停滞”的，其开始解体，不是由于向外发展商业资本主义或由于国内单纯商品经济的发展因而引起生产上的革命，反而是外国资本主义商品的侵入，帝国主义的大炮轰“关”。经过鸦片战争与太平天国革命战争以后，首先由于军事上的教训，科学思想才开始在士大夫中间取得一点地位，张之洞、李鸿章辈也才说“西学”可以“为用”，于是办学堂，开工厂，造军械。此后慢慢有点生长，才有了官僚资本家与民间资产阶级，但直到世界大战以前，数量还是很小，力量也就脆弱得很。这因为不只是内部存在的封建阻力之顽强，单是外部的帝国主义，那限制就非常之大：他们是要输出商品，甚至到中国来直接制造商品（开工厂）的，但这都不是为了“帮助”中国资本主义的发展，而是为了限制它的正常发展，用种种的办法，如掠取国家经济命脉，把持海关，严防重工业的建设等等，以巩固其对我国的帝国主义统治地位。第一次世界大战，是这些帝国主义国家的相互攻打，自然可使我国的资产阶级松一口气，几年中主要在轻工业方面获得若干的发展；可是，根本的问题——反帝反封建的任务没有完成，“好景”是“不常”的，大战一结束，帝国主义便卷土重来，于是又走下坡路了；因此软弱无力便成了中国民族资产阶级的死症。阶级经济力量的软弱决定了它思想文化的软弱，这样的情况，当然说不上独立来领导中国的革命，更谈不到建设中国的新文学。可是中国无产阶级的情形却就两样了，倒是越来越壮大，其力量的坚强，远超出了中国资产阶级之上。这是因为它是受着双重的压迫，也就同时受着双重的培养：除本国资产阶级之外，帝国主义投资及直接在中国开办的工业，都吸收着他们，一样把他们集中起来，使之壮大。这样，领导中国完成反帝反封建革命的铁担，中国无产阶级反比资产阶级担负得起，更有力量和勇气；因此，中国三万万六千万以上的农民，他们不找资产阶级而找无产阶级为他们的领导，也只有中国无产阶级才有领导他们的气魄和决心。到最近为止，中国革命的敌人曾是如此强大：往往是若干的帝国主义者加上国内官僚买办资产阶级和封建势力的联合进攻，这支强大的反动队伍中间，有时（如一九二七至一九三一年）甚至还有民族资产阶级追随的足迹。这支强大的反动队伍，并总是利用着城市、港口为其据点，对人民采用着野蛮的血洗政策与疯狂的武装进攻政策的；这就形成长期的国内斗争：中国工人阶级紧紧的依靠着广大的农民阶级（并团结小资产阶级与总想争取民族资产阶级），以宽阔的农村作据点，用坚苦卓绝的武装抵抗以应付敌人。二十余年来，在中国民族民主革命事业上，建树不少伟绩（如一九二五——二七的大革命；一九三四——三五的长征；一九三七——四五的抗日游击战争等），出现了多少惊天动地的故事与完成了多少巨人般地生活过来的人民英雄；……这些，无一不是工农兵所供给，所创造。工农兵成了我们这个时代最中心的主人，在这时代的创造事业里，最活跃，最“红”，最有力量，最能贡献和最有贡献的都是他们。一切不能和他们一致的，则见之而大惊失色；一切要与他们作对的，皆碰之而头破血流。从革命的力量与革命的热情来说，尤其农民，真是气高万丈的。——这就是新民主主义革命之所以为新民主主义革命的规模，也就是决定我们文学之有所成就与否的时代条件。这是一个政治上以无产阶级为领导，以农民为主力，以工农组成的部队（兵）为革命武器，因而是以工农兵为首领的、长期革命战争的时代。[1]

整个文艺复兴的时代，是欧洲商业资本主义发展，出现了因拥有货币所以要求政治权力的商业资产阶级，并要在“身份”上与封建贵族阶级取得“平等”的时

[1] 这是不是说，十九世纪俄罗斯的“民粹主义”，在我这里也发着香味了呢？不是的。固然，即令是“民粹主义”，也要看它是在什么样的环境和什么样的条件下生长，起着什么样的作用，然后才可以判断它的性质。但这里说的，还与任何的“民粹主义”没有关系。这是因为：所谓“民粹主义”的基本思想，是将农民作拜物教式的供奉起来，幻想“代替”资本主义发展的道路，也就是说取消无产阶级——工人阶级的产生。这里所说的就不是这样，且毋宁说与之对立：这里是以无产阶级——工人阶级对农民的领导为其前提的。

代。由于这些在封建社会里原属“平常人物”者的物质追求之成功，并暴露出封建贵族阶级的腐败，开始给封建社会打起告丧之钟，这才有“文艺复兴”的新文学；并反映在这新文学的内容上，便是“人”的发现与“个性”的解放。《十日谈》对于僧侣及修道士等的揭露与嘲笑，骑士吉歌德先生的悲剧等等，便深深获得时代的主题，发出时代的深远宏大的呼声。既是人类史上或一阶段的历史之深刻的记录，当然使得所有这些作品得到不朽。但是我们却远远的不同于这样的时代。我们根本没有存在过什么“商业资本主义发展的时代”，曾经有之，也不过是“三宝太监下西洋”之类的玩意儿，封建王朝于得意之余的耀武扬威而已。及至近代，不只未曾发展出去，而且反被帝国主义“发展”进来。在这样的情形下，如果说要发展“个性”的话，就得先碰倒帝国主义，还不只国内的封建势力而已；但能够碰得倒帝国主义与封建势力的，在我们就只有工农及其能和他们坚决一致的人们。此外还有谁呢？既不是什么“商业资产阶级”，甚至也不是民族资产阶级。所以，如果要说发现“人”的话，那应该“发现”的首先就是工农而不是别人；需要发展的“个性”是他们的个性，即符合于工农革命运动要求的“个性”，即与集体主义的原则相结合、相一致的“个性”而不是别的任何“个性”。在这里，个人主义的个性是失去了意义，不能不褪色了；这就是说，时代已非，我们是不能抄文艺复兴的老调的；一定要抄，那是所谓：“逆天背时，必不能工。”——作品决“伟大”不起来。“五四”时期的实际情况，也证明了这点。

十八世纪到十九世纪初期的浪漫主义文学时代，那背景是获得了资本原始积蓄以后的资产阶级，已具有若干经济（生产）上的势力，因而要求最后的封建束缚的解除，要求对于封建阶级政治权力的完全击碎，热情地期望着一个尚未到来但必然能到来的、无限广阔之个人主义社会生产（无政府状态的生产）的远景。这对于封建社会是一个完全异样的社会组织，从资产阶级观点看来，毫无疑问的是建筑在每个人底“主观欲望”上的社会组织。它是已经非常明显，非出来不可了。浪漫主义底唯心主义的理想主义之无限的热情，便有深厚的社会根据。这反映着一个资产阶级**革命的**时代。最强烈与最有代表性的浪漫主义运动，成熟在资产阶级革命最彻底的法兰西，并在法兰西正完成“产业革命”的年代里，当然不是偶然的。我们，同样也没有这样的时代，所以我们的“浪漫主义”者们，无论个人在主观上是怎样的憧憬与“跃跃欲试”，然而我们的社会决不会有《欧那尼》上演那样的狂风骤雨，则是早已决定了的；而且那些憧憬者自己，还不得不时时“在社会桎梏之下呻吟”（郑伯奇）。我们“欧化”的现代小资产阶级知识分子中，也不是完全没有想学当年巴黎“浪漫主义的青年”的，也类似这样——

> 他们都以其长须、长发，表示狞猛的样子。他们穿了种种奇怪的服装，天鹅绒的上衣，西班牙似的外套，罗伯斯比尔式的衣服，亨利三世式的大黑帽。（雨果夫人）

但不过是出于“历史的误会”，所以这类人在中国总是“孤独”：他们在白色都市里既被视为狂徒；而到新社会中暴露于工农群众的面前时，也被视为“小资产阶级知识分子的神经病”，并不引为同类。

我吹起了革命的风。

我在那洋溢的黑暗中

从此没有元老院的话！也没有平民的话！

我把旧字典戴上红帽子。

把语言的黑色群与思想的白色群相混。（雨果）（重点是我加的。——雪）

像这类个人主义底夸耀之歌的中国翻板，同样也得不到时代的呼应，随起而随灭。

以城市市民为主、资产阶级领导的资产阶级性革命——旧民主主义革命，和以乡村农民为主、无产阶级领导的资产阶级性革命——新民主主义革命，是极为两样的。我们说新民主主义革命性质上也是资产阶级性的民主革命者，意思只是说，它的反帝反封建的革命任务，是资产阶级革命的任务，客观上也在给资本主义的发展扫除障碍；但由于新民主主义革命与旧民主主义革命的这个**革命动力**上的重大划分，决定了两者本身的重大区别。这区别，由于是以工农为首领的缘故，不只表现在目前革命的彻底性与革命的发展前途上，而且也极为“现实”与极为特色的表现在革命的“风貌”（用马克思的说法）上，即表现在这革命的运动规律（不是“胜利不然就死”的一帆风顺或一蹶不振）、运动的组织原则（反个人主义）、作风、气概和“性格”上：从理智的到感情的，从世界观与思想方法到行动作风与生活习惯，都全异于过去的资产阶级革命，且是以对资产阶级革命底在这上面的批判与否定做基础的。特别在我们中国的情况，半殖民地半封建的情况，由于长期处在国内外敌人强大反动力量的包围，由于长期处在农村，更由于是处在“以封建社会的古物来迎接世界无产阶级的革命时代”的社会基础与主观条件里，这特点尤为深刻！这样的特色，由于其区别的根源是出发于“人”（阶级）的不同上的缘故，所以其对于文学的影响，比其他方面尤为强大而鲜明。这中间的血缘关系是甚深的；这些不同点、这些特色所非常踏实地证明的，是对现实主义（唯物的、实事求是的）之无限的要求与对浪漫主义（唯心的、主观热情的）之彻底的否定！——最没有浪漫主义存在与发展的社会基础。所以我们凡对于浪漫主义的模仿（只能是模仿），也是对于我们时代的隔膜，也是一种“逆天”的行为：遇事一股风，总以为可以“乘长风而破万里浪”，结果却无不是“翻筋斗”（鲁迅），闹笑话。一切浪漫主义的写作企图已充分证明着这点。对于中国的我们，这一真理（无论在文学上或政治上）给我们的痛苦教训，已经太多太多，我们是应该深知这一条的利害了；岂止于作品之“必不能工”哉！？

二十世纪以前的“新文学”之第三个时代，是旧现实主义的时代。这是世界资本主义社会经过不完全相同的道路（革命的与改良的）在世界上若干主要国家中成熟与和平发展的时代，这也是暴露出这个“新”社会之不合理和阴暗的时代。资本主义，是以“自由”“平等”的理想来取得思想统治权的，但现在看出了，这不过是一回巧妙的欺骗：“我们是‘平等’的买卖关系，你愿拿我的工钱就给我干活，不然你尽可以随便。”可是一切生产手段都集中到他的手里，不接受他的剥削就得挨饿，“自由”已成了强迫的代名词。[1]而跟着资本吞并

[1] 对于这种真实，马克思曾有绝妙的形容：“在那里行使支配的，是自由，平等，所有权和边沁（Bentham）自由！因为这种商品（如劳动力）的买者和卖者都只听命于自由意志。……平等，因为他们彼此都以商品所有者资格发生关系，以等价物交换等价物。所有权！因为他们都是处分自己

与资本集中的过程，跟着在资本主义私有财产制基础上的技术“改良”过程，跟着生产与消费的矛盾发展过程等之完成，种种“非人间”的悲惨与不幸都出来了：失业、穷困、破产、“犯罪”、“堕落”……但是，这时无产阶级革命的条件一般还未成熟，资本主义尚有它发展的余地。这是一个“和平的”（即暴力的行为是单方面的）发展剥削的时代，对于人类是继中世纪而来的新的黑暗时代。所以这反映在政治上，仅是社会主义思想的抬头，与科学社会主义——马克思主义之成为强有力的运动；所以这时代之文学底最现实的主题，是暴露这个时代的真象，——资本主义社会的真象。而暴露这个社会真象之最尖锐与最动人的事实，莫过于由它底不合理而产生的结果，就是穷人、小偷、赌徒、酒鬼、妓女、社会病狂者、流浪汉……等等所谓饱尝着“悲哀与不幸”的、个人受难或个人反叛的“小人物”；旁及各种社会的悲

的东西。边沁！因为双方都只顾自己的利益。”“原来的货币所有者，现今变成了资本家，他昂首走在前头；劳动力所有者，则变成他的劳动者，跟在他后头。一个是笑眯眯，雄赳赳，专心于事业；一个却畏缩不前，好像是把自己的皮运到场去，没有什么期待，只期待着刮似的。”（郭译:《资本论》第一卷，一二五——一二六页）

剧；以至资产阶级内部种种“智力的衰退，良心的败坏和道德的堕落”。这就是十九世纪现实主义之胜利的关键及其拥有大规模的雄伟内容之源泉，最能深刻的“暴露黑暗”的作品之所以能成为伟大作品的根据；因此并不“为工农兵”，这时的“新文学”也能有辉煌的成就。但与这比较，我们新文学所处的时代也不相同：第一，我们这里并没有什么成熟的资本主义社会，由资本主义生产而来的不幸，还不如由野蛮的奴才政治与超资本的野蛮剥削而来的为多；第二，更重要的，我们的时代并不是一个阴暗的时代，相反的，是一个充满着革命斗争的、热烈的、铁和火的时代，千万的人民直接被组织在斗争中的光明的时代。因此，我们的时代所给予我们文学的主题，完全是积极的：光明超过黑暗，英雄超过懦夫，革命者超过反革命者，翻天覆地的斗争超过平常细小的琐事。既是这样，代表的人物当然不是单纯“被侮辱与被损害”的被动与消极的“小人物”，而是受压迫也谋反抗，有烈火般的热情与钢铁般的意志的人们，十九世纪现实主义作品中的那些“小人物”，在此是不能不失色，不得不让位了；而且这时，事实上他们也必遭分化，有的前进，有的落伍，有的成为革命的英雄，有的则甘愿做奴才或社会残渣。总之，他们已没有塑造伟大作品的质量，代之而起的不得不是工农广大群众的有组织的队伍。所以，单纯搬用十九世纪现实主义的写作思想于我国，固然也能产生对于现实之某一角落、某一侧面的小描写，可是时代的精神仍是掌握不到的，要使作品得到相同的成功仍属不可能。

这就是简略的回答：为什么十六世纪到十九世纪的欧洲文学所不是问题的，在我们却是问题，他们的所以不需要，正证明了我们的必须需要。

“一个时代有一个时代的文学”，这是当“文学革命”一开始时就说出来的老话了；“文学是时代的反映”，也早成了大家公认的命题。这就是说，凡是伟大的文学，必然是在最深刻与最尖锐的地方反映了当前时代的文学；这反映深入到什么程度，彻底到什么程度，其真实性强烈到什么程度，便是它成功到什么程度的尺度。时代是**新民主主义革命**的时代，这革命的规模是以无产阶级领导农民进行农民革命战争，所以其**中心的主角是工**

农兵。那么，我们的文学，如果对工农兵没有理解，便不可能对这个时代有所理解，也就不可能以最大的深度反映这一时代里的任何一面现实，因而不可能有伟大的作品。如果嘴说理解工农兵，而实际不理解工农兵，从而不是真实的去写而是“阳奉阴违”的去写，也一样不可能有伟大的作品。[1]反过来，如果对中国现代的工农兵获得真实的理解，充分正确的写出他们，把我们这时代的伟大规模、特殊风貌与特出人物在文学上呈现出来，献予人民，足以再教育我们的人民；献予世界，是足以

[1] “为什么没有伟大的作品产生？”十多年来我们曾经一次又一次的提出，一次又一次的写下许多方案，但还是依旧“没有伟大的作品产生”。真正的原因，就是我们还没有摸透**我们**的时代。自然，我们也有过“伟大的作品”，这就是鲁迅的作品——《阿Q正传》，可是这里至少有两点是可以提出来的：第一，《阿Q正传》是写农民的，**是从农民**（注意！）写出了我们的一个时代，即新民主主义以前的、资产阶级革命——辛亥革命底真相的作品，这是中国一个时代（旧民主主义革命时代）、一个时代的问题（旧民主主义革命为什么不行？）之真实，所以不朽。第二，二十多年来我们竟没有超过鲁迅的作品，这虽是一种“怪现象”，但却是为大家所公认的事实。为什么呢？这就是《阿Q正传》以后的时代——新民主主义的时代，至一九四二年为止没有为我们所掌握的缘故。“为什么没有伟大的作品产生？”真正的与最后的答复，还是《在延安文艺座谈会上的讲话》。

震惊世界的！

这就是“为什么如何使文学之‘为工农’的方向获得真实彻底解决的问题是中国新文学建设上的最根本、最具有决定性的关键问题”的理由，也就是《在延安文艺座谈会上的讲话》其所以为中国新文学的建设解决了最根本的问题的理由。

文学写作的方向问题

一

我们当前的时代是工农兵的时代，因而我们新文学建设的中心主题是“为工农兵”；**“为工农兵”的问题之能否获得彻底解决，则取决于小资产阶级革命知识分子作家的自我改造**。其所以正是《在延安文艺座谈会上的讲话》而不是别的将“为工农”问题作了最明确彻底的解决者，就是因为正是《在延安文艺座谈会上的讲话》而不是别的把小资产阶级革命知识分子的自我改造问题作了最尖锐与最明确的提出，并将其认为是建设工农兵文学之关键问题而加以解决的缘故。

《在延安文艺座谈会上的讲话》，于确定“我们的文艺第一是为工农兵”之后，肯定的说：“为什么人的问题，是一个根本的问题，原则的问题。”这是过去也曾见到的。但它进一步指出，过去对这个问题并没有得到**实际上**、**行动上**的解决。它首先分析道：

> 有许多**同志**比较地注重研究知识分子，分析他们的心理，着重地去表现他们，原谅并辩护他们的缺点，而不是引导小资产阶级出身的知识分子和自己一道去接近工农兵，去参加工农兵的实际斗争，去表现工农兵，去教育工农兵。有许多**同志**，因为他们自己是从小资产阶级出身，自己是知识分子，于是就只在知识分子的队伍中找朋友，把自己的注意力放在研究与描写知识分子上面。……他们是站在小资产阶级立场，他们是把自己的作品当做小资产阶级的自我表现来创作的，我们是在相当多的文学艺术作品中看见这种东西。他们在许多时候，对于小资产阶级出身的知识分子寄与满腔的同情，连小资产阶级的缺点，也加以同情甚至鼓吹。对于工农兵，则缺乏接近，缺乏了解，缺

乏研究，缺乏知心朋友，不善于描写他们。倘若描写，也是衣服是工农兵，面孔却是小资产阶级。他们在某些方面也爱工农兵，也爱工农兵出身的干部，但有些时候不爱，有些地方不爱，不爱他们的感情，不爱他们的姿态，不爱他们的萌芽状态的文艺（墙报、壁画、民歌、民间故事、民间语言等）。他们有时也爱这些东西，那是为着猎奇，为着装饰自己的作品，甚至为着追求其中落后的东西而爱的。有时就公开的鄙弃它们，而偏爱知识分子，偏爱小资产阶级乃至资产阶级的东西，这些**同志**的屁股还是坐在小资产阶级方面，或者换句文雅的话说，他们的灵魂深处还是一个小资产阶级的王国。

再是正面的提出：

我们知识分子出身的文艺工作者，要使自己的作品为群众所欢迎，就得把自己的思想感情来一个变化，来一番改造。（由一个阶级变到另一个阶级）没有这个变化，没有这个改造，什么事情都是做不好的，都是格格不入的。

然后归结出来：

要彻底解决这个问题，非有十年八年的长时间不可。但是时间无论怎样长，我们却必须解决它，必须明确地彻底地解决它。**我们的**文艺工作者一定要完成这个任务，一定要把屁股移过来，一定要在深入工农兵、深入实际斗争的过程中，在学习马列主义和学习社会的过程中，逐渐地移过来，移到工农兵这方面来，**只有这样，我们才能有真正为工农兵的文艺。**（以上引文中的重点均是我加的。——雪）

这是前所未有，说得非常明白的。

中国新文学建设的基本问题是“为工农兵”，“为工农兵”的根本问题则是小资产阶级知识分子作家的自我改造。这里所说的“作家”，并不是少数已经“成名”，职业化了的文学工作者，而是指一切小资产阶级出身的已经从事或开始从事文学工作的人。但是我们且先追究一下：**为什么小资产阶级知识分子作家的自我改造问题是工农兵文学建设上的根本问题**？比方二十世纪的苏联文学，它的方向也是“为工农兵”的。日丹诺夫前不久还说：“表现这种苏维埃人民伟大的新品质，表现我们底人民不仅仅像今天的样子，而且还眺望到他们底将来，帮助照耀前进的道路，——这就是每一个有良心的苏维埃作家的任务。”（见法捷耶夫：《论苏联文艺的方向》）当然，他们的工农兵都是同属一个阶级，即工人阶级，与我们的农民之尚是小资产阶级，具有阶级性质上的区别者不同。但同以表现二十世纪新的群众、新的人民为任务的文学，在苏联文学建设中，过去不曾、现在更没有以作家的自我改造（阶级改造）问题为**根本问题**，这是什么道理呢？

我们的文学，在其性质上是新民主主义文学，苏联的文学，在其性质上是社会主义文学。社会主义文学与新民主主义文学之不一样，首先就是各有其不同的社会基础：社会主义文学是生长在**经过**资本主义充分发展或相当充分发展的社会主义社会；新民主主义文学则是生长在未曾经过资本主义发展阶段的新民主主义社会。这两种社会的不同，**文化方面**的最大标志，就在一个是群众文化水平很高，所以工农兵群众不只大都是文学作品的直接阅读者，而且还经常从自己的队伍里选拔出自己的作家；另一个是群众文化水平异常之低，因而不只没有选拔出自己的作家之可能，大体说来，甚至还不是文学作品的直接阅读者。再加上为我们所特有的方块字之难学，这社会基础所给予文化上的影响尤为巨大。苏联在社会主义文学建设的初期，也曾有一个以“同路人”文学为主要活动的阶段，但为时不长（一九二一——一九二五年），而且与之同时，就有着从“十月”到“瓦普”（“全联邦无产阶级作家联盟”）的工农作家团体与之对立，就在当时，这团体里就拥有许多出身于工农阶级的优秀作家，（作为“瓦普”前身的“莫普”——“莫斯科无产阶级作家联盟”，在会员七十二人中，其成分已是：工人出身的三十七人，农民出身的十人，共占四十七人。）从一九二三年开始，就写出了艺术上成熟的、比“同路人”作品更为有力的作品，如李培进斯基的《一周间》，革拉特可夫的《士敏土》，富尔曼诺夫的《却派也夫》(《夏伯阳》)，法捷耶夫的《毁灭》，绥拉菲莫维支的《铁流》等等。[1]一九二五年以后，苏联文学的统治地位完全转到无产阶级作家这方面来，在文学的全部领域上都代替了“同路人”作家；而“同路人”作家也开始了分化，他们的自我改造（阶级的转化）过程也开始在完成了。这就是说明，对于苏联文学，作家主要是由工农兵群众自己在自己中生长和选拔，因而他们从来就是与其所描写的对象素无隔膜，是一同生长，一同感觉，并共同着呼吸的；他们过去是也曾有过非工农兵出身的、未经改造的作家，但为数不多，问题存在的时间也短，虽对这一部分作家（同路人）来说也同样经过了自我改造的过程，[2]而不足以成为苏联文学建设上的

[1] 这些作家，或根本是工（如格拉特可夫）农（如法捷耶夫）出身，或则系贫苦的小资产阶级；而皆受过长期的工人阶级生活或工农部队（红军）生活的锻炼，并系年轻入党（布尔塞维克）。总之，**是开始文学生活以前即已无产阶级化了的**人们。（除绥拉菲莫维支）

[2] 苏联文学中“同路人”的改造过程，其道路也是很艰苦的。从他们在苏联文坛上的活跃开始，就开始了无产阶级文学阵营对他们的激烈的理论批判

根本问题，则是显而易明的事。可是我们的情形就大不相同了。

我国社会是最前进的，但也最落后。最前进的是，我们的反帝反封建革命事业方在开始，就创造了以无产阶级为领导、农民为主力的规模，这一创造性最大的、为毛泽东思想的光芒所照耀的新民主主义革命，不只在中国革命历史上的成就是空前的，即对世界革命历史所给予的贡献也是伟大的，有着它巨大的国际意义。其所以最落后，则是我们所承继的社会遗产、文化遗产非常之贫弱，二者竟相因相成。正由于资本主义没有发展，

斗争；（参看任国桢译:《苏俄文艺论战》和鲁迅译《文艺政策》）而跟着五年计划——社会主义建设之进展，现实对于他们的改造要求，也毫不容情。只要想起一九二五年叶贤宁的自杀，和当叶贤宁自杀时作诗嘲他说“死并不困难，生才是困难的”马雅科夫斯基，在一九三〇年也以——

> 爱情的小舟，
> 撞碎在奔流的生命上，
> 我是和生命没有纠葛了。

而终止了自己的努力，就明白这段路程的艰辛了。他们是认认真真以生命去作自我改造的搏战的。和这比较起来，我们是侥幸得多，也缓和得多了。

资产阶级异常羸弱，不可能完成它自己的历史任务，所以一面是无产阶级与农民联盟的力量成为无比的强大，成为正规的完成中国资产阶级民主革命的主人；而又一面是社会文化落后，社会普及教育不唯谈不到完成，甚至一般的谈不到开始，这成为新民主主义革命的巨大负担。其结果，不只能成为文学“作家”的都出身于小资产阶级以上，甚至文学作品的读者一般也是小资产阶级。因此，我们新文学的建设工作，不得不全部放在小资产阶级出身的知识分子作家身上，而且非放在小资产阶级出身的知识分子作家身上不可！**时代是工农兵的时代，唯一写手却不能不是“素昧平生”的小资产阶级知识分子**，这便是问题的实际，也就是问题的症结。文学的工农兵时代，使我们的文学区别于十六世纪到十九世纪的一切资产阶级和小资产阶级的文学，区别于欧洲文学；而清一色的小资产阶级出身的作家，又使我们区别于二十世纪无产阶级的文学——社会主义文学，区别于苏联文学。不同的条件要完成同等的任务（写二十世纪的新的革命群众——工农兵），老选手放在新场合，所以问题便须自己来答复，蹊径得由自己来开辟了。主观条件与客观要求底两者之间，既存在不小的距离，这距离不能解决，如何能达到**正确了解、正确掌握和正确表现工农兵人物的**目的呢？自然非进行克服不可；为求克服，**作家的自我改造问题**便不得不应历史的需要而提出来，这就是“为工农兵”下面还有这样一个根本问题的所以。

阶级出身既不同，历来生活也异样，对于工农兵，或是一向很疏远，或是从未接近过，更不曾理解。隔离的阶级生活与社会生活，再加以政治上大地主大资产阶级统治的严厉阻拦，造成面貌上与工农兵巨大的不一致；浮在中层的都市生活和“欧化”的精神养育，更使这背道而驰，愈来愈背离，愈来愈遥远。比之外国资本主义或社会主义国家，我们“现代化”的小资产阶级知识分子，是尤为与自己民族的原来色彩失去调协的。（这是半殖民地半封建社会的特色之一）而工农兵大众，却正是最民族本色的人物，两极相合，所以非从里到外来个“脱胎换骨”式的变化不可。而且“责无旁贷”，因为此刻并没有别的料子。那么，只好深入工农兵，深入实际斗争，重新来锻炼，重新来理解了。为要这样，第一个是一切小资产阶级的观点和感情都得改变，不然便“渗透”不进去，老是“外人”，做不成功朋友；第二个是语言问题要克服，要学习用他们那一套而抛弃知识分子的这一套；第三个是一切作风甚至日常生活习惯都要改变，要和他们在日常生活上不发生冲突，被他们看得“顺眼”。诸如此类的一些改变，就不得不引起整个自身底深刻的与带全面性的变化。

至于自我改造这问题为什么要**着重**对小资产阶级**革命的**知识分子来提？则是因为：第一，深入工农兵的生活及其实际斗争以改造自己的小资产阶级性，这是一个深刻的革命行动问题，一般来说，不是普通小资产阶级知识分子作家所能立即接受的，即是说，不是尚未有马克思主义的政治倾向、决心跟着无产阶级走的自由主义的小资产阶级知识分子作家所能直接接受的。对于他们，道理虽然同是一个，但这中间还有相当的过程。第二，革命的小资产阶级出身的作家，虽然是已经在**政治方向**上信仰了马克思主义，认识并拥护无产阶级的革命领导地位及其历史的使命，但除此以外，并不特殊于我国一般的小资产阶级知识分子，甚至更为“欧化”。在具体的现实问题上，在文学艺术的问题上，仍多采取小资产阶级知识分子的立场和观点。尤其是小资产阶级的感情，其存在是更为强固的。《在延安文艺座谈会上的讲话》说："我们有许多同志还不大清楚无产阶级与小资产阶级的区别。有许多党员，在组织上入了党，思想上并没有完全入党，甚至完全没有入党。"就是指这种情况说的。第三，从过去（比如左翼十年）的事实证明，往往小资产阶级出身的**革命**知识分子，由于他的"革命"，反而容易发生一种不大加以考虑的"误会"，往往自以为"独得了无产阶级的委任状"（瞿秋白）似的，廉价的认为自己已经是"无产阶级的作家"，却不认为自己还需要有更进一步的、较之确定政治方向更为艰巨的自我改造之努力。但要**真正**做个"无产阶级的"作家，这改造是非有不可的。所以，着重对**革命的**小资产阶级知识分子提出其自我改造的要求，既较切合实际，而又迫切必要。

自然，我们可以而且应该期望，并应该认真的帮助出现从工农兵自己出来的作家。甚至"可以"期望，那时候才来使我们的新文学开放光耀世界的繁茂花朵；

但这中间还须经过许多年：中国的工农兵大众，从消灭文盲到能够在自己中间选拔出大量的文学作家，恐还不是一件短期内所能实现的事，可以预言，大体上我们这一整个新民主主义文学的时代，将主要是非由我们现在已成熟了、或在成熟着的这些从小资产阶级出身的知识分子作家们来做建设的主人不可。[1]因此，在这个不短的岁月中，我们这一代在文化上成熟的有经验和有教养的人们，也足有充分的时间来完成这个工作，担负起这个光荣的重担。“有为者亦若是”，使这我国文学史上的一个时代，过渡到社会主义文学去的、新民主主义文学的时代，成为伟大光辉的时代，不致造成时代的文学空白，竟让后人（直接从工农兵出身的作家）以“历史小说”的形式来为我们写这一时代的壮勇史诗！

这就是说，“为工农兵”的根本问题之为小资产阶

[1] 在苏联，“普式庚、托尔斯泰、屠格涅夫的优美的可爱的语言……，还采取到学校的教科书里去。这难道是要个个学生都学会他们的‘圆满解决的文艺技术’，当然不是。……至少，暂时一二十年之内，还没有使人人都变成文学家的可能。对于大多数的学生，这只是最低限度的学习运用文字的方法。何况中国呢？”（瞿秋白:《乱弹及其他》，二六八页）

级革命知识分子作家的自我改造问题，不仅事所必至，理所固然，且应该是当仁不让的。

二

为什么提出要完成“小资产阶级革命知识分子自我改造”的课题？所谈的既是文学，当然目的不过是为了写作，为了产生正确表现当前这一伟大时代的作品，为了达到**正确了解、正确掌握、因而能正确表现工农兵人物**的目的。从文学工作来看，自我改造不外是为了完成文学写作上的任务，其目的并不在自我改造本身。那么，别的办法就不能达到这个目的吗？

是的，我们在文学“为工农兵”的大体方向开始模索到以后，于相当长的时间内，曾经提出过一些方案，在上一章历史的追述里，也就涉及过。这便是：“**把握正确的世界观**”论、“**体验生活**”论和“**大众化**”论。

认为只要“获得正确的世界观”便能解决问题，即能使资产阶级、小资产阶级的作家一变而为工农作家或无产阶级作家这个方案，如前所述，在民国十六年，一九二七年时便已经有人提出。(《从文学革命到革命文学》，十一月。)“左联”成立初期，这一观点在领导思想上占着绝对的优势。由于实践上的碰壁，大量“公式化、概念化”作品之不能完成革命文学的写作任务（其中包括了丁玲的《水》之失败），到民国二十二年，一九三三年，才公开受到它底追随者（公式主义作家）的宣言抵抗和“左联”新进作家们的遗弃；[1] 而在“左联”的理论活动领域、领导思想中，虽除此之外还加上联共（布）中央和苏联文学界清算“拉普”（“俄罗斯无产阶

[1] 他们有的说：作品要有价值，在于它描写“深入”，于是我就深入的去写。但结果我的作品完全观念化，理想化，失去了艺术的价值，更不成其为进步的现实主义的作品。我现在将努力再去深刻的认识，把握很正确的创作方法时，那时我再来写作。(就是说，“我现在不写了。”——雪注）有的说：我要按照理论上所要求的来写，那么，写出来就不会感动；假如我不顾一切，完全依照我感情的来写，完全说我心里的话，写出能够给人以感动，那么我只好仍旧写我的“罗曼小说”。假如说，文学作品要以感动读者为主，那么我就这样做；不然，我宁愿搁笔永远。……（参看一九三三年上海天马书店出版的《创作经验》一书）至于一九三二、三三年才开始文学活动的，如艾芜、沙汀、叶紫、何谷天……他们，对过去公式主义的这一套，自始就不感兴趣的。

级作家联盟”）的经验，[1]但是到一九三六年为止，尚没有清除这个观点的存在，这种观点还在改头换面的、多方辩护的坚持着。[2]

当然不是说，作为工人阶级底世界观的唯物辩证法，不能适用于文学，对作家没有帮助。相反的，对于一个作家，特别是二十世纪的、从事完成描写工农兵时代底文学任务的作家，这对于他一定有莫大的帮助，非常需要的。但这里的问题不是这样，无论“左联”过去

[1] 以“唯物辩证法的创作方法”为理论指导基本口号的“拉普”的基本错误，是在于不去引导作家深入生活（社会）实践与写作实践，这样来求得真正的提高作家和作品的质量，而却引导他们脱离现实，空喊“正确的世界观”之获得。于是在组织上形成宗派主义的狭隘的文学团体，与五年计划完成、“同路人”作家的阶级转化之客观情况发展背道而驰。一九三二年四月联共（布）中央决定了新的文艺政策，解散“拉普”等文学艺术团体，两年的准备，组织了单一的“全联邦苏维埃作家联盟”；与此同时，高尔基、吉尔波丁、华西里可夫斯基等，提出对“拉普”的理论清算，以“社会主义的现实主义”代替“唯物辩证法的创作方法”。华西里可夫斯基在批判论文中说：“艺术家要怎样才能完成自己底马克思主义的世界观呢？这问题，非确定地安置在脚下不可；然而，有些批评家们却将它安置在头上。……恩格斯之所以没有忠告过哈克纳斯，要她从辩证法的方法‘出发’，就是他没有忠告过她，要她从算术的四个法则‘出发’的缘故。”（《社会主义的现实主义论》）

[2] 一九三六年一月：《现实主义试论》。（《文学》第六卷第二期）

的争论，联共（布）中央的决议和高尔基等对“拉普”的批判都不是这个问题。问题是在于这种意见认为：在作家进入写作实践之前，先来要求他们“获得正确的世界观”，便能解决作家本身与其写作任务上的矛盾。这一“理论”的实质，便是着眼于书本，依靠哲学书籍上的抽象理论解决问题。这是从其根本上，对“唯物辩证法”本身的理解上就犯了错误的。它不理解，“主观的辩证法”是“客观的辩证法”之反映。“夫迹，履之所出，而迹岂履哉？”所以唯物辩证法的那些法则本身，并“不是教条，而是行动的指南”，创造者自己早就再三警惕过。(《马恩通信集》) 只有经过实际的锻炼，从实际出发，才能掌握“正确的世界观”；有了实际的掌握，然后才能运用。它更未曾理解，特别是在文学艺术的领域，由于文学写作的问题是直接的、面对面的表现现实的问题，它所处理的是具体的形象而不是抽象的概念，所以更非深入现实的实际斗争不能领会与掌握“唯物辩证法”。但由于“书本拜物教”，由于以为只要承认和记住书本所说的东西就解决了问题，于是发生“误会”：记住一些“原则”（这是很容易做到的），便自以为真正有了改变，已经是“无产阶级作家”，无往而不利，都能“完成任务”了。所以在这样的理论下面，不得不表现出两种形态：其一是**生活和“理论”失去联系**，正如鲁迅所尖锐批判过的那样，一面是住洋房、喝咖啡、陶醉跳舞场，而一面却说“唯我把握住了无产阶级意识，所以我是真的无产者”。其一是**作品和事实失去联系**，依据一些哲学的、理论的抽象概念，如“现象中的本质，今天中的明天，旧的之中的新的萌芽”或“革命的工农是充满着阶级觉悟的，其觉悟表现在和资本家、地主、国民党的势不两立的尖锐斗争上，而且这一斗争一定是他们得到最后胜利”之类来产生作品，于是抽象的词句，长篇大论的知识分子式的演说，大堆的社会科学名词都安放进去。自然，实在的情形那是这样简单，但它是既不知道，也不加以考虑的。其结果，这类作品里的人物既不是工农，也不是知识分子；其作品既不像文学书，也不像社会科学书。何尝谈得上**正确表现**工农兵的真实相貌及其生活与斗争，何尝谈得上文学的革命任务之完成，当然不能不使作品归于失败。“获得正确的世界观”论之恶果还不止于此，如实际所表现的，它还形成一种关门主义的文学理论，“拒人于千里之外”：“你想要加入我们的队伍，成为革命的作家么？你的‘世界观’正确不正确？”这种牛头对不上马嘴的“资格审查”，深刻的引起了文学之思想阵营和工作阵营的混乱，思想上的混乱。有多少作家是精读过许多哲学书的？就“精读”了，如果尽在一些抽象理论里兜圈子，对于他又有什么实际的好处？这结果，一方面是无理由的拒绝了许多人，一方面也阻碍了政治上（阶级上）、艺术上均未成熟的革命作家们的切实努力与认真改造。——“及格”的人，皆可以价值低劣的作品自豪，高视阔步而不知改进，自满于虚夸的“无产阶级作家”（“普罗作家”）称号。

正确的世界观是必要的，但要看怎样来理解和获得它。这里有两种方法：一种是以为，熟读书本上的被作为教条看了的东西便成功，便能“运用”起来解决一切问题。另一种是把它看做一个努力的过程，一个人行动、生活、思想、感情上的改变，整个人生观的改变，这才能够达到掌握它的目的；这就要一定经过实际生活的锻炼和学习，并将实际的考验（作品）作测量的尺度。“把握正确的世界观”论所以没有做出成绩而遭到失败，就在于没有这样办；而要这样办，自非从作家自身的切实改造做起不可。

当脱离实际也脱离作家的“世界观论”显露出破绽的时候，作为补救，代之而起的方案是“体验生活”。我们有一个长时期，曾把这个作为解决矛盾的唯一可靠办法，把它在各方面都提得很高。再加以苏联“文学顾问委员会”的《给初学写作者的一封信》之介绍进来，那里是以“手触生活”——“写你所熟悉者”为第一要着。我们除了认真分析其优点之外，并未辨明不同的情况而加以批判的吸收，指出其适用于我们的限度，[1]便“深得我心”的认为，这回是真正解决了问题而不加怀疑。事实上，一九三三年以来，直到延安文艺界座谈会，我们尚是以这个为指导原则的。

自然，“体验生活”的要求，即：自己所写的东西，一定是经过自己的体验、熟悉而掌握充分材料的。这样的理论，在许多方面都有着它底积极的意义。首先，在作为对主观主义的“世界观论”之纠正上有它底积极的

[1]《为初学执笔者的创作谈》——《文艺笔谈》。

意义：教脱离实际者接触实际；教从主观出发者以客观出发，都是向解决问题的正确方向上迈进一步。因此，从理论上来看，它在保卫一般现实主义底基本原则上，也有它积极的意义：它教导了从事写作的人去了解客观事物，写出并不“公式化、概念化”的作品。最后，从初学写作的方法指导来说，以及从对从事文学写作者的**初步要求**来说，都有其积极的、正确的意义和作用，今后也是如此。但这些都得在我们的基本问题得到解决之后才能实在发挥其更积极的作用，它完全不能代替根本问题的解决。若以为把问题提到这里便能够消除我们作家的主观条件与写作的客观要求之间所存在的矛盾，——阶级的矛盾，那就超过了它的适用限度，就如过去的实际所证明那样，同样解决不了问题，且会发生另一种错误。

把问题提到“手触生活”（在“表现社会主义社会的真实”方向下）为止，在苏联是足够的，能充分解决他们底问题的；但在我们就不够，不能解决问题。上节已经说过，在苏联，由于其社会发展条件的不同，他们的作者与作品、读者与作品、读者与作者之间是一致的：

阶级上一致，思想上、社会生活上、以至心理感情上都一致，所以他们剩下来的问题主要只是接触与了解实际、熟悉题材的问题，写作方法上的问题。而我们则不然，我们却有更根本的问题存在，我们这里，还得先打通这个**阶级的隔阂**，思想的、感情的、作风的隔阂；不然，再“熟悉”也不能相通，不能有精神思想上的、所谓“心”的相通，写起来便总是似是而非的、貌合神离的、浮光掠影的。不是写不进去便是使对方“归化”自己。所谓“鸡蛋是圆的，可以切成方方，事实是一个，可以有多样的说法”。高尔基也常说：“问题最重要的不在于说什么，而在于怎样说。”要引例子，苏联文学中过去也有过的。比方过去曾是“同路人”时候的拉甫涅列夫的作品，如《第四十一》与《平常东西的故事》，就是典型的范例。[1]

---

[1]《第四十一》、《平常东西的故事》前后介绍到中国来（曹靖华译），以其风格的新颖和描写的“深刻”，很受读者欢迎；自然，就是从现在来看，也还是有其相当价值的、革命的作品。但正在它的“深”处，即其对无产阶级和共产党员的精神理解上，是有所歪曲，使其“归化”于作者小资产阶级知识分子观点的地方：《第四十一》写一个女游击队员（无产阶级）马柳特加，当她对着一位俘虏，一个资产阶级出身的知识分子（白党军官）

素朴的体验论不能解决我们文学建设中的根本问题，因为如果除去自我改造的立场和内容，所谓“体验生活”，充其极不过是“熟悉人物、熟悉生活与获得材料”而已，自身小资产阶级知识分子的观点、感情、趣味等等原样存在，依旧要写走样、写歪曲的；或者自己的思想感情不可能渗透进作品里去，那就只是一部缺少生气与缺少血肉的“白描”，不过是事实之表面记述，作品依旧不能有大生命。在我们的情况下，自我改造是一切的关键和前提，“熟悉”问题与“材料”问题，均是在

时，他们的关系是：马柳特加有着无产阶级的强烈的政治意识，俘虏却有着“高尚”而且“优美”的“文化”教养，马柳特加在这上面直是一片白地，对他的这些是只有瞠目结舌地倾倒于其中。似乎物质的“低级”领域是无产阶级的，而“高级”的文化领域呢？他们不可能占领了，还是资产阶级的知识分子行，还是他那一套观点吃得开，在这点上，马柳特加不过是肉体俘虏的“礼拜五”，统治者反是被俘虏的白党军官（鲁滨孙）了。《平常东西的故事》，也是相类似的情形：一九〇五年的布尔塞维克党员，非常委员会主席奥洛夫，思想里却完完全全给小资产阶级的人道主义所占据着。为了反革命的敌人把一个农民当做他的化装而逮捕起来，他宁愿自己到敌人特务机关里去“投案”。即令奥洛夫是小资产阶级知识分子出身，但已是一个十几年的老党员，为斯托雷平反动时代、二月革命和十月革命所锻炼过来的，就有“人道主义”，也决不浅薄到这个程度，这显然是作者有意要渲染一下自己的观点，因而不惜以自己的思想代替了别人的思想，作了假冒的附会。

这个问题解决之下才能有其适当的位置，在写工农兵的问题上，没有前一条，谈不到后一条的。这是我们的“新问题”，但却是真实的、从多年摸索中换来的真理。以前不说了，抗战以后，我们有些作家到前方农村、部队中去生活了三四年，末后还是感到写不好工农兵，他们在文艺座谈会上自己说明：虽然时间是好几年，事情也经过不少，但总是有一层隔膜，没有把握写。这就是证据。

对于《给初学写作者的一封信》之教条主义的理解，其结果，还会发生新的错误，这就是在“从此谁也不能要求我写我不熟悉的东西”的借口下，充满着一种对于“左联”要求“描写工农及其斗争”的厌倦情绪，发展着从“为工农”的方向游离开去的行为，成了左翼十年末期到延安文艺座谈会以前文学上自由主义思想的一个助力，代表着一种不健康的倾向。这里面，小资产阶级的本色自由自在的活动了，新式的“身边琐事”出现了。这其所以要提起注意，是因为即令现在，它的残余势力还存在。比如最近有这样的论调：

写诗可以从自己写起，因为我们对自己熟悉，就像航空员熟悉他的飞机。雨从天上落下来：谁的声音不从他自己的肺部里发出来？从自己写起也可以。(《联系实际抛开自己》)

当然，对自己是“最熟悉”的，“也可以”自也可以，但是这里有一个决不容许轻轻放过的问题：这个“自己”是个什么样的“自己”呢？在写之前，不弄清楚是不行的。缓一步，先用《在延安文艺座谈会上的讲话》把这“自己”量一量，然后下笔吧，这才有个立脚点，不致重蹈过去的覆辙。

从以上的分析，便足以见得，把《在延安文艺座谈会上的讲话》——文学之工农兵方向的基本问题，一般看做“大众化”的问题，是不恰当的；反过来，把“大众化”的问题看做文学之工农兵方向的基本问题，同样也不恰当。[1]

---

[1]“谁都应当知道：没有真正现代普通话的新中国文，真正的‘新的文学’是**不能再发展**的了。”“现代普通话的新中国文是必须建立的，这是文学革

通常所说的“大众化”，是指文学作品的最能与广大群众相接触，最易为广大群众所阅读，即是指文学作品的“通俗”和普及问题。所以，一个是作家思想与作品内容问题，一个是作品的语言文字和表现手法问题；一个是作家内在底“力”的培养，一个是作品之“通俗”的努力，两者是有显明区别的。“大众化”（通俗）决不能代替作家自我改造与作品内容问题的解决，而且首先需要求得解决的正是后者而不是前者。因为没有小资产阶级革命知识分子的自我改造过程，也即是说作品并不是真正“为工农兵”的作品，这作品就没有真正“大众化”（普及）的可能。文学作品的“大众化”（普及）首先为内容所决定，写的不是他们的真实而是他们的歪曲，他们当然会不喜欢，不接受的，这样的经验已经很多。所以作家自我改造问题、作品内容问题不首先解

命运动继续发展的**先决条件**。现代普通话的新中国文是什么？……应当是习惯上中国各地方共同使用的，现代‘人话’的，有语尾的，用罗马字母写的一种文字。”（瞿秋白：《鬼门关以外的战争》——《乱弹及其他》，一五九、一七一、一七七页。重点是我加的。——雪）这就类乎胡适的论点：新文学建设的首先的、中心的问题，是语言文字的问题，不是内容问题和思想问题。

决，作品的语言文字与表现手法再“通俗”，也不能达到普及的目的（自然，如故作难懂，也就取消了普及的要求）。即令真流行到“大众”中间，也不过如封建内容的旧小说、旧唱本一样，其实是反“大众”的，更不是我们所要求的“大众化”（通俗）作品。这样，小资产阶级革命知识分子的自我改造与作品的“大众化”（普及），虽是两个问题，但要达到后一目的，又必须以前一问题的解决做基础，前者是决定后者的，后者却不能代替前者。延安文艺座谈会以前，我们曾有过十三年文学大众化的努力，也有过“通俗”的、用“大众语”以及“方言土语”写出的作品，但都没有得到广大群众的热爱，挤不掉旧唱本与旧“街头小说”，道理就在这里。《小二黑结婚》和《李有才板话》，那在识字群众当中的读者面，就广大得很多。自然，这两个问题虽有密切的关系，也不能混为一谈，混为一谈的结果，势必混乱概念，模胡认识，有把小资产阶级革命知识分子的自我改造问题荫蔽起来的危险。《在延安文艺座谈会上的讲话》把“为什么人”的问题（小资产阶级革命知识分子的自我改造）与“如何为法”的问题（文艺的普及与提高）

区别开来提，就是这个理由。

说大众化的问题历来都是看做文学作品的普及问题和通俗问题，是有充分根据的。“大众化”问题的第一次提出和形成热烈的讨论，是在民国十九年、一九三〇年“左联”成立，“为工农兵”的文学运动开始深入的时候。在所有的意见中，都把“大众化”的问题看做是“用适合于他们的文化水平的文学艺术去鼓励与煽动”的问题。[1] 切实的代表，就是鲁迅的意见：“应该多有（为）大众设想的作家，竭力来作浅显易解的作品，使大家能懂，爱看，以挤掉一些陈腐的劳什子。”（《文艺大众化》）“大众化”问题的第二次提出和讨论，是在民国二十一年、一九三二年，宋阳（瞿秋白）为之写了许多有力的文章，[2] 把问题推进了一步。如何使革命的作品更能接近广大群众，扫除“欧化”偏向呢？他从语言问题追究到汉字本身问题去：

---

[1] 当时“左联”的几个主要机关杂志，如《大众文艺》、《萌芽》、《拓荒者》，都发表了很多讨论这一问题的文章，发表意见的人很多。

[2] 这些文章（共九篇），以“宋阳”或“易嘉”的笔名，发表在当时“左联”机关刊物《文学月报》以及其他刊物上面；现均收入《乱弹及其他》一书内，分两辑，一为《论中国文学革命》，一为《论大众文艺》。

> 革命的大众文艺问题，是在于发动无产阶级领导之下的文化革命和文学革命。(《大众文艺的问题》)文学革命，本来首先是要用文学上的新主义推翻旧主义，用新的艺术推翻旧的艺术。但是，在二十世纪的中国，要实行这种“文艺革命”，就不能够不实行所谓“文腔革命”——就是用现代人说话的腔调，来推翻古代鬼说话的腔调，专用白话写文章，不用文言写文章。而且，要彻底的用“人腔”白话来代替“鬼腔”文言，还必须废除汉字，改用拼音文字，就是实行“文字革命”。(《学阀万岁！》——《乱弹及其他》，二四一、一一五页）

这意见在当时虽有讨论，却没有引起多数人的注意。到民国二十三年、一九三四年第三次提出讨论时，便根据着他所提出的重点和方向，把问题发展开来，在“大众语”的论争中达到“废除汉字、代之以拉丁字母拼音的新文字”的结论。鲁迅也写了辉煌的著作。(华圉:《门外文谈》）那里边说：

我们中国的文字，对于大众，除了身份、经济这些限制之外，却还要加上一条高门槛：难。单是这条门槛，倘不费他十来年功夫，就不容易跨过。跨过了的，就是士大夫，而这些士大夫，又竭力的要使文字更加难起来，……

文字难，文章难，这还都是原来的；这些上面，又加以士大夫故意特制的难，却还想它和大众有缘，怎么办得到。

倘要中国的文化一同向上，就必须提倡大众语，大众文，而且书法更必须拉丁化。

将文字交给一切人。(《全集》第六卷，九八、九九、一〇九页)

文学“大众化”问题是文学作品的普及和“通俗”的问题，因而首先是语言问题，于是也联系到汉字存废问题，这是很明显的；所以不能将其与小资产阶级革命知识分子的自我改造问题混为一谈，更不能代替这一问题的解决。毋宁说，只有在这个基本问题解决之后，“大众化”（普及）的问题才获得它底实在的根据和解决的基础。

总之，我们的文学要达到正确了解、正确掌握、和正确表现工农兵的目的，基本的道路是一个，就是小资产阶级革命知识分子作家的自我改造，别的通路是没有的。过去曾有过别的方案，但事实证明，那正是失败的经验：不是根本错误，就是还不能解决问题。到这里，我们可以得出这样的结论了：小资产阶级知识分子出身的作家，如不进行自我改造，便不能达到**正确表现**工农兵的目的；也可以反过来说，**凡作品里对于工农兵尚未达到正确表现或表现不深的，就反映着作者自我改造的过程还没有完成**。而且检查的标准只能是这个（作品），也应该是这个。因为作品里处理工农的真实程度，准确的反映着作者自己接近工农与改造本身小资产阶级性的深入程度；二者是紧密结合，如影随形，完全一致的。

三

那么，怎样才能改造？怎样才算改造呢？

自我改造既是要求做到从**一个阶级到另一个阶级的变化**，当然就要下最大的决心，抛弃自己原来小资产阶级那里一切不好的东西，获取工农兵这里一切好的东西，把一切不符合于工农兵革命利益与工农兵革命要求的东西去掉，把一切符合于工农兵革命利益以及为他们的革命运动所要求具备的东西充实进来。这样，才能消除小资产阶级知识分子与工农兵大众之间的距离，和他们契合无间；在与之息息相关的、共同着生活和斗争的呼吸中，熟悉与理解住他们，并在一切现实形象的理解与感觉上取得一致，也就是于最尖锐与最本质的处所掌握了一切阶级和一切事物的真实。这样，才能成就相类于巴尔札克之于十九世纪上半期的法兰西那样的，表现二十世纪上半期的我国之时代精神的伟大的艺术力量。我们如果做到了这一点，数倍于《人间喜剧》或《鲁贡·玛加尔》的作品素材有的是，不是"没得写"，只有"写不完"的。

怎样才能改造呢？**第一要着**，便是不自认特殊于工农兵，要**从里到外**的解决，认识自己不过是**和他们一样**的平平常常的人，并时时抱着这样的精神，保持这样的情绪，使之成为天性似的、自自然然的东西。还是鲁迅的话说得好：

> 以为诗人或文学家高于一切人，他底工作比一切工作都高贵，也是不正确的观念。举例说，从前海涅以为诗人最高贵，而上帝最公平，诗人在死后，便到上帝那里去，围着上帝坐着，上帝请他吃糖果。在现在，上帝请吃糖果的事，是当然无人相信的了，但以为诗人或文学家，现在为劳动大众革命，将来革命成功，劳动阶级一定从丰报酬，特别优待，请他坐特等车，吃特等饭，或者劳动者捧着牛油面包来献他，说："我们的诗人，请用吧！"这也是不正确的；因为实际上决不会有这种事，恐怕那时比现在还要苦，不但没有牛油面包，连黑面包都没有也说不定，俄国革命后一二年的情形便是例子。……事实上，劳动者大众，只要不是梁实秋所说"有出息"者，也决不会特别看重知识阶级者的，如我所译的《毁灭》中的美谛克

（知识阶级出身），反而常被矿工等所嘲笑。不待说，知识阶级有知识阶级的事要做，不应特别看轻，然而劳动阶级决无特别例外地优待诗人或文学家的义务。（《对于左翼作家联盟的意见》——《全集》第四卷，二三八页）

这是极真切的、有实感的说明。事实上，如果有这种情形，当工农好像是在把你当“贵客”看待，“供奉”于你时，他们正是在精神上遗弃了你，把你当成外人或一种新式的“老爷”了。这是对你“同化”要求的拒绝，自然更不会有什么别的好处。《在延安文艺座谈会上的讲话》就说：“如果把自己看做群众的主人，看做高踞于‘下等人’头上的贵族，那么，不管他们有多大的才能，也是群众所不需要的，他们的工作是没有前途的。”事实上，一个革命的作家，是再没有别的遭遇比这更耻辱的了！知识分子与工农的结合中，特别需要真心诚意的、老老实实的态度，这是能够真正走进他们中间去的首先一着，非常要紧的。那种混到工农兵社会里来高高在上，只着眼在肉的多少与享受的高低的人，就是还停留在海涅的阶段，实在过时得可以了。但现在这种人不算多；较多的，是已置身在工农大众之中，然而只存心在“收集材料”，处处流露着知识分子的“优越感”，这是一种不老实，也解决不了自身的大问题。工农自是一样的当做外人看待，而所“收集”来的材料，本身的真实性就有问题，且尽是皮毛，无大用处。

朱总司令在延安文艺座谈会上作过介绍，讲他如何从资产阶级的军队走到工农军队里来。他虽是说得那样的自然和那样的平易，可是却把一代伟人对于工农大众之彻底老实的崇高品质显出得极为清楚与极为深刻。他大意是这样说：

> 我跟着孙中山搞辛亥革命，又跟着蔡锷搞护国战争，搞来搞去，都没有搞出个名堂来。后来到欧洲去寻求究竟，才知道自己过去的立场不对：应该跟的是工农大众，应该听的是无产阶级的命令；于是回国再搞。回国以后，便一心一意的为工农革命。他们需要我的是帮他们打仗，我就埋着头老老实实的打仗；打来打

去，说是要选我做他们的总司令……我便这样做起总司令来。

鲁迅先生说的“俯首甘为孺子牛”，那境界的极致不过如此。

时代是新民主主义革命的时代，工农成为这一时代的主人，便是历史的意志；知识分子参加很必要，如有人竟不干，革命也仍一样运行；所以做得好的有赏，不好好做的也不一定要，而要一心一德到底就得老实。革命者是这样，革命的作家尤是这样。为什么“尤”？因为文学的工作是描写工农兵革命运动的现实，工作的开始，就是直接考试的开始；又因为得置身于工农大众之中，考试是全面的，且是从外而内，从表现到思想。譬如照相，面对面的站着，自然是更为严格的。

第二要着，就是对于工农兵，不只要求得**理性**上的解决，做到**思想上的“通”**；而且要求得**感性**上的解决，做到**感情上的“爱”**。关于这点，毛主席在延安文艺座谈会上也曾做过类似朱总司令一样的介绍，后来也跟“讲话”一起印出来了的。他说：

在这里，我可以说一说我自己感情变化的经验。我是个学校里学生子出身的人，在学校养成了一种学生习惯，在一大群肩不能挑手不能提的学生面前做一点劳动的事，比如自己挑行李吧，也觉得不像样子。那时我觉得世界上干净的人只有知识分子，工农兵总是比较脏的。知识分子的衣服，别人的我可以穿，以为是干净的；工农兵的衣服，我就不愿意穿，以为是脏的。革命了，同工农兵在一起了，我逐渐熟悉他们，他们也逐渐熟悉了我，这时，只是在这时，我才根本地变化了资产阶级学校所教给我的那种资产阶级的与小资产阶级的感情。这时，拿未曾改造的知识分子与工农兵比较，就觉得知识分子不但精神有很多不干净处，就是身体也不干净，最干净的还是工人农民，尽管他们手是黑的，脚上有牛屎，还是比大小资产阶级都干净。这就叫做感情起了变化，由一个阶级变到另一个阶级。

问题就是这样。这个“爱”的问题，是个极大的问题，也是个在文学工作上才显得特别重要与特别暴露的问题。抗战以来，有一个相当普遍的现象说明着一件事，这就是我们有相当多的革命老作家，历来站在左翼文学阵营冲锋陷阵过的，到进入原先自己为其实现而奋斗的新社会以后，创作力奇怪的锐减了，表现出非常大的难产状态，或者是根本写不出，或者是勉强写出一点却又不好，远不如过去在敌人压迫下的时代。正像丘东平在民国二十七年指摘出的：“现在呢？……好像一个盖子被揭开了，应该有表现啦，火应该喷出来啦，但是，并没有。”（《“七月”座谈会记录》）这究竟是为什么呢？道理就在“爱”上。

我们不能简单的指摘说这是没有和新社会的现实接触，没有深入到新的社会生活中去。这仅是说明一些现象，更确切点说，只是说明极少一部分市侩化的、“志在食肉者”的现象，与说明那些对新社会怀着恐惧、怕自己失去“心灵”的平衡、因而小心翼翼的和现实游离着的一些人的现象。实在的、根本的问题则是这个“爱”，对新社会的感情建立不起来。也曾有怀抱严肃的心情，深入新社会的内里去做长期生活过来的作家，他住在村子里，过着农民一样的生活，给他们做事，和他们谈天，参加他们的斗争，如是者三年。可是他的创作欲不见增进，不见吸收了什么精神上的新滋养，思想上放射出新的光芒，反而也一样的在“灵魂的深处”日见其萎缩，日见其阴暗了。当然他是地主家庭出身，与农民结合有阶级“天性”上的困难，改造的斗争是很苦的。但这里暴露出问题的真实是：文学作品既不只是通过作者思想，而且是通过作者感情的产物，如思想与感情不谐和，即是只做到承认现实的“对”，而未能做到感觉现实的“美”，没有强烈的情感上的拥抱，于是感情被分裂着，思想也因而缺乏甚至没有了热和光，当然便不可能产生作品，就会“新的既写不出，旧的也没有趣味写”了。至于高坐在山头上小心庇护着自己“心灵底平衡”的，既已经有了“危险”的感觉，有了害怕，“心灵”也同样不能平衡，感情的分裂也同样无法避免，所以一样是“旧的不愿写”（新的当然写不出），无处动笔的。正是：

生在有阶级的社会里而要做超阶级的作

家，生在战斗的时代而要离开战斗而独立，生在现在而要做给予将来的作品，这样的人，实在也是一个心造的幻影，在现实世界上是没有的。要做这样的人，恰如用自己的手拔着头发，要离开地球一样，他离不开，焦躁着，然而并非因为有人摇了摇头，使他不敢拔了的缘故。（鲁迅:《论第三种人》——《全集》第五卷，三六页）

要做个能真正实践文学工农兵方向的、现代中国的革命作家，出路只有决心改造，直走进去，虽有炼狱的痛苦，然而非坚持到不发生“感情的变化”不出来。一通过这过程，新的、强有力的创作欲望便生发开来，将会遇到自己从来没有过的“升华”，力的旺盛是无法克制的。这关键便在感情上也求其得到解决：不只有新的观点，而且有新的热情。面貌一新了，心的平衡与和谐仍是同样的，且只会更好，这才有产生新的作品的主观基础。

当然，即令是在写工农兵，也同样有用别一种方法来保持自己旧的“创作力”的，这就是**使工农兵“归化”自己**。做到表面上变了，而实际什么也没有变。变的是题材，是语汇、语法；不变的是小资产阶级的观点情绪。于是对于我们的这个时代，就写得似是而实非，貌合而神离。在这点上，我们虽没有像《第四十一》《平常东西的故事》那样“成熟”的代表作品，但是已有了产生这类作品的征象，且必然还会产生。[1] 深入工农兵了，是完全以工农兵为主，使自己归化于他们呢；还是以自己为主，拉工农兵来归化自己？——这便是此地所存在的一个根本问题，小资产阶级革命知识分子自我改造过程上的**第三要着**。

事实上，对于小资产阶级知识分子，特别是已经“革命”的，这个使工农兵向自己归化的企图之顽强的

[1] 这里说的，不是像过去“左联”存在过那样“衣服是工农兵，而面孔却是小资产阶级”的拙劣与廉价的偷运小资产阶级私货的作品。而是指那种真的深入了工农兵的生活，但却不愿放弃自己小资产阶级知识分子底文化偏见的那种事实。这种作品，就很有诱惑力。在我们，还谈不到成为“倾向”，但早些提出来，对于我们工农兵文学的建设是更会有益的。作品的表现也稍稍有一点，虽由于我们写作水平现在还低，作者思想对于作品的渗透力还弱。但如孙犁的《荷花淀》，在这点上是值得考虑的。

“天性”，尤为坚固。《在延安文艺座谈会上的讲话》说：

> 小资产阶级出身的人们总是经过种种方法，也经过文学艺术的方法，顽强地表现他们自己，宣传他们自己的主张，要求人们按照小资产阶级知识分子的面貌来改造党，改造世界。在这种情形下，我们的工作，就是要向他们大喝一声，说：“同志”们，你们那一套是不行的，无产阶级和人民大众是不能迁就你们的，依了你们，实际上就是依了大地主大资产阶级，就有亡党亡国亡头的危险。只能依谁呢？只能依照无产阶级及其先锋队的面貌改造党，改造世界。

就是看到了很多事实，才这样尖锐的揭发出来。为了便于理解这种“天性”之惊人的程度，我引证一篇短小精致的文章。虽然短，又是节录，但按作者的习惯说法，是一篇“消耗了许多心血”的作品，不可小视。这是在延安文艺界开座谈会的头一年，一九四一年发表的。原文如次——

隔膜与欢乐（节录）

多少至诚的大勇者，为要冲破这些又高又厚的重重叠叠的城墙，（指人与人之间的隔膜。——雪）受伤了，“可笑”地倒下了。

马克思就是受伤最深的一个。

我像看见他有时也灰心了，也沉郁了，也失望了。

在收集《资本论》材料的那些长年的劳苦中，不断地更发现人与人之间的迫害，残暴，隔膜，陌生，漠不相关……，他一定岂止一次独自流过泪。

可是每次受伤之后他总更振奋起来，更献身于著作与行动的。

遍体的鳞伤是最合身的战袍。

马克思从最深的苦难中提炼出无上的欢乐，深信着人类是终有一天，人人或多或少都会——

“没有一件人的事情对于我是陌生的。”

这是把马克思写成一个感伤主义者，一个感情脆弱、思想狭窄的人。而这个，无论如何“振奋”，如何“提炼”，都不是马克思。在改造人类社会的伟大工程上，卡尔·马克思，这位世界无产阶级的导师和同志，是不知道什么叫做灰心和绝望，什么叫做感伤和流泪的。他确曾受过“伤”——敌人或“朋友”（比如那些“无政府”主义者）放来的毒箭，但他凡这一切都一瞥置之：

每一种以科学批判为根据的判断，我都欢迎。以所谓舆论为根据的偏见，却是我从来不让步的。关于这种偏见，佛洛伦大诗人的格言，便是我的格言：

“走自己的路，不要管别人说的话。”（《资本论》第一卷初版序言）

在科学的进口处，也正如在地狱的进口处一样，这个要求是必须揭出的：

在这里一切的疑惧都须抛去，

一切怯懦的念头都须在这里死亡。(《政治经济学批判序言》)

要知道他是于资产阶级社会的得意之中首先一个最踏踏实实的屹立起来反叛它的人，给它作出死亡的科学结论的人；是他第一个以小资产阶级知识分子的出身而投入到无产阶级之中，与他们一起同化，为他们指出科学的革命斗争道路并与他们一同进行实际的斗争。我们现在来说小资产阶级知识分子的改造问题时，既有理论的根据，又有事实的证明；既不得不然，又有例可循。至于他，则是首创这些、发明这些并实践这些的人，何常能容纳这许多工愁善感的知识分子气？！这样的先驱导师，没有超人的坚强心智，是不可能有这等作为的。《隔膜与欢乐》的作者匆匆翻阅了一下《资本论》第一卷第八章，便找到遨游自己幻想的对象，其实他完全没有稍稍多访问一下马克思。马克思引用这些“悲惨”的、英国工厂检查员报告书所记录的事实，正是为要排除感情用事，用它来说明一个毫无个人感情夹杂于其间的事实：资本主义社会之必然死亡的规律。它是依着自己发展的规律导自己于灭亡，而它的掘墓人，便是它这样经常在锻炼与壮大着的雇佣劳动者。

> 一个资本家往往使许多资本家倒毙。……但同时，为资本主义生产过程自身机构所训练、所统合、所组织，而人数不绝膨大的劳动者阶级的反抗，也增长。资本的独占，成了伴随此独占、并在此独占下繁荣起来的生产方法的桎梏。生产手段的集中和劳动的社会化，一达到与资本主义外壳势难两立之点，这种外壳就要破裂。资本主义私有制的丧钟，就响起来了。剥夺者被剥夺了。（《资本论》第一卷，郭译本六五一、六五二页）

只要注意一下这中间的一个“微小的”事实，马克思在《资本论》中处理一切问题时的这种**分析方式**，便可看出他是在以无比雄大与强韧的理性伟力，极端冷静与镇定的对待着这大海一般包含数万万人的喜怒哀乐于其中的社会行为。这不过是《资本论》中经常表现的无数例证中的一个，但只这一点点，已足够使得想拉马克思归化于他自己的一切小资产阶级革命知识分子的胆大企图狼狈不堪了。为《隔膜与欢乐》的作者所驰骋想象的马克思和实在的马克思自己，相差何止十万八千里！为《隔膜与欢乐》所描出的人物，只是一个中国多灾多难的、几经大风暴而曾几濒于毁灭边沿的小资产阶级革命知识分子自己。这篇作品的意义，只在于给我们以例证，这例证十分雄辩的说明，小资产阶级的革命知识分子要把别人归化于他自己的决心是如何的顽强与狂妄。

彻底以工农兵为主，归化于他们；不是以小资产阶级知识分子为主，将工农兵的外在形象归化于自己小资产阶级的精神领域之中。这是小资产阶级知识分子自我改造的最后一个问题，但也是最为深刻的问题。这问题得不到解决，小资产阶级知识分子的自我改造过程仍旧是没有完成的。

四

文学之为工农兵的问题解决以后，从写作对象来说，**主要描写对象**势必为工农兵，这是必然的，也是合理的。但从此出发，便发生一种“误会”，以为我们的文学既然是为工农兵服务，那么，从此以后，就不需要写工农兵以外的阶级人物了，只有描写工农兵的作品，才能算是实践工农兵文学方向的作品。

当然是误会。这认识的错误在于把工农兵**文学方向**的问题简单的看做**题材**问题。不待说，文学的写作方向问题，并不是一个单纯的写作题材问题，作为方向，主要的不在于写什么（题材），而在于怎样写（主题）。就是说，所谓“为工农兵”者，是在于教导我们要不只通过马克思主义——工人阶级的政治观点，而且通过小资产阶级革命知识分子的自我改造，通过工农兵的感情或与工农兵一致的感情去表现工农兵，表现社会现实。不然，像过去那样，“为工农兵”的庄严号召势必被狭隘化与庸俗化。自然，主题问题，怎样写的问题，必定以适当的程度反映于题材问题、写什么的问题上；也就是说，从作品总量来看，实践文学之工农兵方向的**标志**之一，是大量的作品将为描写工农兵的作品。但作品数量上的比重并不等于全部作品题材的范围，作品的题材范围，依然是广大的，甚至比过去还要具有更加辽阔的视界。[1] 从实际事实来看，这也是连结着的：写工农兵，就不能不写到资本家、地主和军阀以及帝国主义，小资产阶级更不用说。问题的关键在于：为工农兵的问题如果不得到彻底的解决，小资产阶级知识分子不经过自我改造的过程，便不能**如实的**理解工农兵，**同时也就不能于最本质的地方理解其他阶级**。没有通过对工农兵的一定理解做基础，即令所写的仅是地主或资本家，也是不能写出大作品的，这就是说，那作品必然达不到它应有的深度和强度（真实的程度）。现在并不是《死魂灵》或者《红

[1] "革命的大众文艺可以有许多种不同的题材。……可以是旧的题材的改作，例如《新岳传》、《新水浒》等等。可以是革命斗争的'演义'，例如《洪杨革命》、《广州公社》、《朱毛大下井冈山》等等。可以是国际革命文艺的改译。可以是暴露列强资产阶级帝国主义的侵略的作品。可以是'社会新闻'的改编，譬如反动的大众文艺会利用什么《阎瑞生案》、《黄陆恋爱》、《洙泾杀子案》等等。革命的大众文艺也应当去描写劳动民众的家庭生活，恋爱问题。去描写地主、资产阶级等等给大众看。这最后一点，值得特别提起大家的注意：因为直到如今，革命文艺还是不能够充分的执行这个文艺斗争的特殊任务。"（瞿秋白：《大众文艺的问题》——《乱弹及其他》，二四七页）

楼梦》的时代，我们这个时代的地主阶级，早已不是过着平安生活的阶级，即“自由自在地腐烂”的阶级；现代中国的他们，是生活在尖锐残酷的阶级斗争之中，是将其阶级本质的一切集中在与农民斗争的关系上表现出来的。这在上一章已述说过了。因此，比如我们要写一个地主，如果不通过农民去理解，是无法将它写得“最真实”的。不通过工人去理解资本家也同样。但这“通过”，不仅仅是一个观察的角度问题与材料问题，更重要的还在于通过他们的观点看法和情绪。时代的特点，已使得现存社会里的一切阶级，都以工农兵为转动的轴心，组织在这伟大运动的现实生活中，各各在这一运动之进展上表现其自己，一切社会阶级的日常生活已受到工农兵伟大势力的冲击与摇荡。中国新文学的建设问题、工农兵文学的基本问题其所以是小资产阶级知识分子的自我改造问题，这问题其所以具有文学写作上的广泛意义，原因便在这里。

可是，地主、买办、军阀以至资本家的表现问题，在作品里都是较好处理的。在这里主要应该弄个清楚的，还是描写小资产阶级的问题。[1]

小资产阶级，在我们中国是革命的阶级，但是，上面已经讲过，中国目前的革命并不是小资产阶级的革命，而是农民为主的、无产阶级领导的新民主主义革命，文学的任务则在于为工农兵服务。所以问题便发生了：究竟需不需要写小资产阶级呢？

事实上，过去和现在描写小资产阶级的作品，数量上总占着绝对的优势；事实上，大家都愿意描写小资产阶级，而且只有写他们才能比较写得好。我们自有新文学以来，百分之八十以上都是写小资产阶级的。虽然如此，写小资产阶级仍是肯定的：不是不应该写，而是应该写。为什么呢？第一，我国的小资产阶级是革命的阶级，和其他国家的小资产阶级不同。“五四”以来，三十年的革命过程所表现的中国小资产阶级，特别是知识分子，经常起着革命号角和革命桥梁的作用，并积极的

[1] 这里所说的“小资产阶级”，是指知识分子（青年学生、自由职业者如医生、教员、记者、工程师、科学家、文化工作者等等）和“不雇佣工人或店员的广大的独立小工商业者”；并不是指“小的”资产阶级，即“雇佣工人或店员的小规模的工商业资本家”。以上及以下所用的“小资产阶级”这个名词，都是根据过去这个概念。（只是把农民单独提出来）

参加新民主主义的革命斗争，“五四”、“五卅”、“九一八”、“一二·九”均是如此。它既在新民主主义革命的整个过程中有巨大贡献，就是对于工农革命的事业有巨大的贡献，就应该加以描写，而且是肯定的描写。第二，由于我们不是经过资本主义成熟和发展的国家，我们工农大众的文化水平异常之低，对于革命思想的接受，时代环境的感染，知识分子往往比较来得敏捷，所以常做“号角”，反映时代的呼声，这种情况造成了知识分子对于革命的可贵性。从事实来看，三十年的新民主主义革命运动中，甚至最坚苦的十年内战时期也不完全例外，无论在革命的那一部门，工作的那一个方面，都印有小资产阶级知识分子的鲜明足迹，和工农革命的事业——新民主主义革命的事业划分不开。那么，当我们要来描写工农兵及其革命斗争的时候，离不了要写他们，不能不将笔锋触到他们身上。因此，对于小资产阶级，不但应该写，而且也不能不写。

问题的关键是在于如何写：是从小资产阶级的观点去写小资产阶级呢？还是以无产阶级的观点、通过工农兵的认识去写小资产阶级。过去的问题，重要的也不在于写了小资产阶级，而在于以小资产阶级的立场、用小资产阶级的情调去写小资产阶级。譬如以小资产阶级的观点去写工农兵，像《在延安文艺座谈会上的讲话》所指出的那样，“倘若描写，衣服是工农兵，面孔却是小资产阶级。”那么，虽然写的是工农兵，但一样也是在“为小资产阶级服务”而不是“为工农兵服务”。

关于应不应该写小资产阶级和怎样写小资产阶级一点，《在延安文艺座谈会上的讲话》是讲得很清楚的，它说：

> 有许多同志比较地注重研究知识分子，分析他们的心理，着重地去表现他们，原谅并辩护他们的缺点，而不是**引导小资产阶级出身的知识分子和自己一道去接近工农兵，去参加工农兵的实际斗争，去表现工农兵，去教育工农兵。……这种研究与描写如果是站在无产阶级立场上的，那是应该的**。但他们并不是，或者不完全是。（重点是我加的。——雪）

这也就是说，要**按照中国小资产阶级的历史真实来写中国小资产阶级**；而作为中国小资产阶级历史真实的东西，就是**与工农兵结合**。写他们经过怎样的道路认识这个时代，他们怎样参加革命运动，怎样在与工农兵接近中学习着改造自己。也只有这样的作品，才是**真正“为小资产阶级”**的作品。

中国小资产阶级、特别是小资产阶级知识分子的历史实际，真是只有“与工农兵结合”吗？

中国小资产阶级知识分子在历史上的真实情况有两个方面。第一是如上所说，中国小资产阶级知识分子具有很大的革命性，先进的思潮，首先为小资产阶级知识分子特别是为青年学生所接受，然后被传播到工人中间去，农村中间去，几次辉煌的学生运动，“五四”、“九一八”、“一二·九”等等，都说明了这点。但是另一方面，中国革命曾经过多次的胜利与失败，来潮和退潮。这中间说明，小资产阶级知识分子在革命高涨的时候易为革命浪潮所卷入，非常的活跃，也做过许多事情；但在革命低潮或革命在某一特殊的情形下遭到挫折与失败的时候，也有大量的逃亡与落伍，由“动摇”而“幻灭”，悲哀得很；最不好的，是向敌人去“悔过”，当大革命失败时，登在报上的知识分子的“悔过书”，曾满处皆是。十年苏维埃运动时期，革命在乡村里继续前进，情形是很艰苦的，这时小资产阶级知识分子参加革命的，便不如大革命时期及抗日时期的踊跃。中国新民主主义革命已经三十年，其中自然有许多次大转弯，我们看一看小资产阶级知识分子从头到底坚持在革命中间的数量，和革命高潮时涌进革命来的数量相比，就相差很远。文学界的情形也不两样，三十年来的新文学史，活跃的作家，一般有如“走马灯”，时“红”时“灰”，常在更换，总之是跟不上；十年坚苦斗争的中间，也出现了一些向敌人“悔过”的“革命作家”，用鲁迅的术语，就是也出现些“小贩”。[1]其次还有另外的两个方面：在革命

[1] 暂且只举一个例：由“太阳社”加入“左联”的作家杨村人，在他进入江西苏维埃区域，参与“全国苏维埃代表会议”之后，以要做“孝子”为借口，说是即令革命成功，他的父亲也过不到舒服的生活，因而不干了；在刊物上发表悔过的“自白”，宣布脱离革命。这时杨村人只是向反革命势力“忏悔”，但尚未出卖人头以“洗白”自己，故鲁迅谓之为“小贩”；那种“革命的骁将，杀土豪，倒劣绅，激烈得很，一有蹉跌，便称为‘弃邪归正’，骂‘土匪’，杀同人，也激烈得很，主义改了，而仍不失其骁”的，他谓之为“奸商”。(《答杨村人先生的公开信》——《全集》第五卷，二三〇、二三一页)

进行之际，常常感到革命“痛苦”的也是小资产阶级知识分子，工农兵大众，是没有这种情绪的。为什么我们的革命对于小资产阶级知识分子会有“沉重”和“痛苦”的感觉呢？原因就在于这个革命是以农民为主的新民主主义革命，工农兵作风的革命，小资产阶级知识分子参加到这中间来，并不很合口味，常常发生抵触。这是一方面，消极的方面。第二个方面，积极的方面，则是长期坚持在革命中，且感到这一革命生活很快活、很舒服的人，都经过很长一段自我斗争与自我改造的过程，都有过感情的转变。

或者改造自己，或者拒绝改造而退出革命阵营与被洗刷出革命阵营，是中国小资产阶级知识分子参加民主主义革命后的两个发展可能。但凡采取第二个道路的，无论自己跑出去或洗刷出去，如出去以后还能有所作为，还能轰轰烈烈，对中国革命事业还能尽其作用，有所谓“第三条道路”（既不与工农兵结合，又不为反工农兵的反革命势力服务）可走的话，自然也不算中国小资产阶级知识分子的**历史运命**只有与工农兵结合、实现自我改造这一途了，但事实是无所谓“第三条道路”的。从大的方面来看，比如大革命失败时的邓演达，当资产阶级叛变，中国共产党继续领导革命深入时，他既对蒋介石的背叛大革命、背叛孙中山认为可耻，可又不满意于中国共产党的“左”，于是组织一个合于小资产阶级口味的“第三党”。曾被蒋介石野蛮枪杀（一九三〇年于上海）与几乎将其队伍击溃的邓演达，是一个中国民主主义的革命家，没有问题。但是他的“第三党”，一直为历史所证明，只有与共产党站在一条阵线上以反对仇视工农兵的反革命的敌人，才能有它的出路。至于从工农兵革命阵营里溜出去的个人，那结果则往往是最“悲惨”的：出去之后，不唯没有“实现小资产阶级理想的光辉生活”，甚至连不谈“理想”的平凡生活也过不成。中国大地主大资产阶级之使人丧失气节、强迫堕落的蜘蛛网，布遍全国它的统治地区，不使得这些人进一步出卖灵魂，是绝不休止的。他绝不让“中立的”小资产阶级知识分子安安稳稳的活下去，这是为十年内战的后期（一九三三——三五）所开始的事实特别“残酷”地证明了的。[1]结果还是只有为工农兵的敌人服务，或又只得转回来；并没有“为**自己的**小资产阶级服务”、有“小资产阶级**自己的**出路”这个东西。对于这点，如在过去欧美的资本主义国家，也许还有点儿“幌子”，至少可以生活得“自由”些吧？但在我们，则连这一点“幌子”也没有，竟是“赤裸裸地残酷”。但回过头来看看，中国革命又怎样呢？它并不因为有些小资产阶级知识分子的出去而不能运行，相反，是依旧发展，向前猛进的；决心改造，坚持留在这中间的知识分子，则生气勃勃，前程远大。这无异中国历史在向中国的小资产阶级知识分子宣告：来了很欢迎，但望进行自我改造，以便于长相结合；若坚持不变，那就听便吧，我们同走到哪里算哪里；至于这个革命，

[1] 再举一个例：抗战以后，一变消沉颓废为积极前进的老作家郁达夫，由于他抗日工作的积极，一九四五年为日本特务机关暗杀于星加坡。他为什么又转变了呢？他自己说：“国破家亡，我辈只能拼一身功名利禄，不可以存一丝微念；我从前抱完成自己不顾其他的见解，现在才觉其错误，因祸及己身也。”（一九四六年二月廿七日重庆《新华日报》附刊）这是**自觉**不能走“第三种道路”的。而上面例举的杨村人，则在写了若干篇悔过招贴之后，不久便正式沦为大地主大资产阶级的爪牙，公然做起“奸商”来了。一九三三到三五年间，各种各样这类知识分子的堕落，是为数不少的。

那是要不停进行，坚持到底的。

但也如上所说，中国新民主主义革命给予中国小资产阶级知识分子所留的地位究竟是优越的，中国的工农兵是竭诚欢迎、大声疾呼知识分子的援助。因为小资产阶级知识分子具有较工农兵为多的文化知识与文化教养，所以他们也一样的需要与知识分子结合，他们所要求的仅只这一点：思想上、作风上、情感上的一致而已。当然这改造的要求与需要帮助的迫切，是同生同在，相成相因的。

需要走入与不能不走入工农兵的行列，而走入以后必然要改变自己的面貌，这便是我们这个时代里的小资产阶级知识分子之历史的运命，这便是时代的真实；表现这真实，便是描写小资产阶级文学作品之原则的任务，也才是真正"为小资产阶级"的作品，才是工农兵文学的**重要组成部分之一**。《在延安文艺座谈会上的讲话》说，我们的文艺，第一是为工农兵，第二是为小资产阶级，也就是这个意思。所以问题是这样答复的：写不写小资产阶级？写；否定描写小资产阶级的任务是不对的。如何写？写出历史所赋予它的真实使命，这便是从无产阶级的观点、通过工农兵的角度来写他们；站在小资产阶级的立场，将其当作小资产阶级的自我表现来写也是错误的。写小资产阶级与这样的写小资产阶级，特别由于现在我们文学作品的读者一般的还是小资产阶级本身这一事实，这比起写工农兵以外的其他阶级来，尤为当前的文学工作所需要。沟通我们国家中小资产阶级知识分子与工农兵大众之间的精神的、“心灵”的联结，以此来影响和帮助改造我们国家中广大的小资产阶级知识分子，这是为新民主主义革命事业所迫切需要的，也为工农兵所迫切需要的，是中国新民主主义文学的重要任务之一。如能从这一观点与精神出发去写出若干部艺术上成熟的描写小资产阶级的作品，也一定是伟大与不朽的作品，有比“三部曲”（茅盾）更深广、更远大的成就。

五

在文学为工农兵的**写作方向**问题获得基本解决以

后，在作者对于工农兵熟悉、打成一片、有了真实透彻的理解下面，头等重要的问题，便是艺术表现的问题：不能将现实正确的表现出来以至很好的表现出来，成为艺术品，也还是不行的；作为文学，同样没有解决问题，完成任务。仅有个“方向”，譬如不结果实的鲜花，不过一番空谈而已。

写作的艺术表现问题、技巧问题的解决，就联系到作者不只经常要有写作练习，不是“研究到可以飞跑时再下地”（鲁迅），而且需要承继过去的遗产，接受和增加自己的文学教养。

文学之工农兵方向的彻底明确和解决，延安文艺座谈会作出了结论（一九四二年五月）到现在，已经整整的过去五个周年了，从《在延安文艺座谈会上的讲话》正式出版发行（一九四三年十月）以来，也快五年了。四五年来的情形怎样呢？在思想上，文学工农兵方向的全部理论获得了普遍的承认，并得到了解放区作家们的热烈实践，把工农兵文学的写作活动形成为运动，获到初步的丰富成绩，这中间包括赵树理的作品和柳青的《种谷记》。但另一方面，有一部分朋友们认为，对于“全国文艺界”说来，它没有解决什么重要的新问题，而且反因此产生了一些“忧虑”，忧虑“五四”新文学传统的坚持。于是在片面强调“坚持五四革命的文学传统”的思想下，忽视了“五四”文学传统历史发展上的基本弱点，也忽视了这四五年来在各解放区显示出来的、对文学之工农兵方向的实践努力及其成就；对于这些作品，或简单以“农民文学”目之，或以为其在艺术上的继续提高，不外仍“提高”到目前在都市学生中流行的这个“传统”上来。其实，为赵树理们所努力实践的文学方向，并不是简单的“农民文学”，而是意味了中国“五四”以来的革命文学在今天**发展的主导方向**，这里包含着一个文学写作的方向问题。因此，它就不是走向现有的、“反叛的小资产阶级的反抗的、或暴露的作品”——革命的小资产阶级的文学之复原，而是从“五四”传统走向新的领域之突进，为“五四”文学传统的新发展，是从实践上解决我们过去久已要求解决而没有得到彻底解决的问题。这种有意无意轻视《在延安文艺座谈会上的讲话》底历史意义和现实意义的观念，从上一章已可得到实际的批判，这里不再多说。这里需要分析一下的，是这四五年来在实践工农兵文学方向中的一种倾向，**“左”倾空谈的倾向**。[1]

这倾向表现于这样一种流行的观念：什么才能算是实践工农兵文学方向的作品呢？就是用从农村部队亲自收集来的材料，写工农兵自己的事，用工农兵自己的话，为工农兵所看得懂与听得懂的作品。除此以外，都是不能算做“工农兵方向”或即是反对“工农兵方向”的。从这样的“理论”出发，第一是到农村或部队中去“收集材料”，以三五个月的时间获得“真人真事”的记录，用这写成东西；第二是反对一切不是写工农兵群众的、语言上也不完全是依照工农兵所说而也吸收新的语汇和语法的作品，认为那是“违反工农兵方向的原则”；第三是拒绝向过去学习，认为对于实践文学的工农兵方向没有什么帮助，反而会“蛊惑”自己的思想，使之动摇。

这种论调之所以是“左”的空谈，首先是由于它没有把实践文学工农兵方向的基本问题，看做一个深入工

[1] 由于各解放区文化交流上的困难，我这里只从我所体验的事实——某一地区存在的现象出发来作分析，虽然在这一地区这是普遍存在与认为当然的，或尚有它的局限性。

农兵生活、实行自己小资产阶级性的改造的问题，而简单与狭隘的看做个题材问题。没有明白：如果是充满着小资产阶级知识分子的各种偏见和情调趣味，又不到工农兵群众中间去、到实际斗争中去作长期刻苦的、伴随着自我改造的努力，那怕是怎样的“左”，那怕“收集”了再丰富的材料，既不能深入领会，又透不进自己的感情，至多只能是些表象的记录，于是作品的生动和深刻都难于做到，所写便只能千篇一律，相差不多。[1]工农兵的真实面貌尚未为自己所看见，当所附加的只能是一些激昂慷慨的空洞辞句时，不能反映广大群众的真实声音；而且，因求速成，“材料”也不是真正群众路线得来，材料本身的真实性就有问题，连忠实的事象记录也做不到。这当然不能算是**实践了**工农兵方向的作品。“雷声大、雨点小”，便成为空谈。

这种论调之所以是“左”的空谈，是在于在粗看去似乎是很“工农兵”的词句下所掩盖的，是一种所谓“新国粹派”（鲁迅）的思想，以为既是“工农兵文学”，就

[1] 对农民也不能崇拜上天而没有批判，没有研究，没有分析。为了真实，就应写出他们积极一面的发展，落后一面的克服。

只能用工农兵的话写工农兵。其实是连自己也做不到的。我们说不通过工农兵，便不能于最本质的地方理解资本家和地主等等；但另一方面，我们也在与地主的关系上去理解农民的社会地位和革命原因；就是写我们这一个时代里的新式的农民群众，他们是革命一代的人们，但他们的许多思想与感情的特征，正是从地主阶级的压迫及与之作斗争的中间锻炼出来，写农民就单单写农民，这样的事是没有的。至于对文学作品要要求工农兵群众自己能看懂，这更是迹近取消的空谈。别的且抛开不讲，单这汉字的难学，就是个工农兵群众获得文化的莫大障碍。

> 方块汉字真是愚民政策的利器，不但劳苦大众没有学习和学会的可能，就是有权有势的特权阶级，费时一二十年，终于学不会的多得很。(《鲁迅全集》第六卷，一六一页)

所以特别在拉丁化新文字的“文化革命”工作取得彻底的胜利以前，只能“竭力将白话做得浅豁，使能懂的人增多，但精密的所谓‘欧化’语文，仍应支持，因为讲话倘要精密，中国原有的语法是不够的，而中国大众的语文，决不会永久含糊下去”。(鲁迅:《答曹聚仁先生》——《全集》第六卷，七九页）那么，文学作品的读者就不能不需要具有相当的程度。

最后，这种论调之所以是“左”的空谈，就是拒绝多方面的学习，拒绝提高自己表现现实的能力，提高自己的艺术修养。离开文学遗产的接受而谈描写工农兵，是一种“空洞的调头”，“必须少唱”（毛泽东）的。拿什么去描写呢？所谓拙劣如新闻记事甚至连新闻记事都不如的文笔，是不可能描写工农兵的无限丰富与复杂的生活的。这些都是在重复着过去左翼十年中的“左”的错误，所以鲁迅当时批判那些空谈倾向的话也一样可以适用于这里：

我以为当先求内容的充实和技巧的上达，不必忙于挂招牌。“稻香村”、“陆稿荐”，已经不能打动人心了，“皇太后鞋店”的顾客，我看见也并不比“皇后鞋店”里的多。一说

> “技巧”，革命文学家是又要讨恹的。但我以为一切文艺固是宣传，而一切宣传却并非全是文艺，这正如一切花皆有色（我将白也算做色），而凡颜色未必都是花一样。革命之所以于口号、标语、布告、电报、教科书……之外，要用文艺者，就因为它是文艺。（《文艺与革命》——《全集》第四卷，九五页）

事实上，如五年来的写作实践所说明，一方面是证明了《在延安文艺座谈会上的讲话》所指出的方向——工农兵文学的方向是最正确的方向，是中国新文学建设真正胜利的起点；但同时也说明，我们还需要怎样切实的、与贯彻下去的努力，在自我改造与不断“习作”上下功夫，才能获得更深广与更艺术的成就，且就目前这些故事性的普及作品的数量来说，也还是太少。现在工农兵文学的写作问题之解决，已开始移向丰富与加深对文学修养、接受文学遗产和提高艺术表现的能力。记得有人曾反问过：“如果说有丰富的生活就可以成为作家，高尔基之为高尔基，就是由于他有丰富的生活；但是俄国有的是码头工人、面包店工人……，为什么只有一个高尔基？”这一问是问得有些道理的。这就是说，要在作品上获得胜利与成功，在达到对工农兵有正确的了解之下，还需要有文学教养，艺术表现的能力，不然，还是不可能有描写工农兵的作品。要培养这能力，就得不只与我国“五四”以来的新文学以及过去的旧文学联系，而且还得与苏联文学以及过去的世界文学相联系，多多的学习，多多的惴摹。所以，并不能斩断过去，割绝历史，如波格达诺夫所犯的那样；[1]而是继承与利用过去优秀的遗产来帮助我们建设二十世纪的中国新文学，工农兵文学。《在延安文艺座谈会上的讲话》说：

> 书本上的文艺作品，古代的与外国的文艺作品，……我们必须批判地吸收这些东西，作为我们的借鉴，作为我们从此时此地的人民生

[1] 俄国十月革命后，以波格达诺夫为领导，成立了（一九一八年）“无产阶级文化协会”，企图“独立的创造”无产阶级的文化，而轻视了资产阶级文化——过去文化遗产的继承。列宁当时曾与这种以为无产阶级文化可以从“温室”里培养出来的思想作激烈的与尖锐的斗争，并提议解散“无产阶级文化协会”。

> 活中的文学艺术加工成为观念形态上的文学艺术作品时候的借鉴。有这个借鉴与没有这个借鉴是不同的，这里有文野之分，粗细之分，高低之分，快慢之分；所以我们决不可拒绝借鉴古人与外国人，那怕是封建阶级与资产阶级的东西也必须借鉴。

五年来的事实证明，我们有一些作品，表现出对农民的理解是深刻的，但由于艺术表现能力的不足，所能处理的范围就不大，形象的描写少而抽象的叙述多，所以还不够能完成工农兵文学在艺术战线上的战斗任务。

工农兵文学写作方向的问题，根据《在延安文艺座谈会上的讲话》，大要说来，便是如此。

文学运动的方向问题

一

有了正确的写作方向，紧接着提出来的就是如何实践与贯彻这个方向。所以，在写作方向问题之后，“为什么人”之后；是运动方向的问题，“如何为法”的问题。

正确的写作方向能不能实现，决定于写作实践；写作实践的努力是否能达到为写作方向所要求的目的，则要看我们的力量怎样运用。事实上，实践的力量是有的，而且很雄厚。从第一章便可以看出，我们的新文学，在延安文艺座谈会之前的二十五年间，革命文学的产生与发展一直是我国新文学运动的中心环节，我们的新文学，是一直在追求着、摸索着，寻求建设之成功的道路。至于延安文艺座谈会以来这五年，文学之为工农兵的方向已经在实践上成为强有力的运动，并产生了相当可观的、若干优秀的作品。所以，比起《在延安文艺座谈会上的讲话》当时的情形来，写作力量的运用问题，是更为实际所需要，更为迫切了。而怎样运用这一雄厚的文学力量？首先碰到同时也是这里的关键问题，当然是：**以努力于“比较高级程度”的文学作品的写作为主，——“提高”为主呢？还是以努力于“比较低级程度”的文学作品的写作为主，——“普及”为主。**

因为文学运动的问题基本上既然是文学写作力量的运用问题，而所谓力量运用，是在于运用它写出作品，那么，当“为工农兵”作品中有“高级”与“低级”的问题存在的时候，以写何者为主及其相互关系的问题，自然是首先要求得正确解决的。不然，其他的问题便谈不到：莫说文学的统一战线——文学力量的集中将失去它更具体的内容，文学批评、文学理论的活动会丧失重要标准，就是作家个人为工农兵的写作实践，也会感到茫无头绪。所以，这个问题正是写作方向的实践问题——“如何为法”的根本。

但是，这问题的发生，是以文学底**高级的与低级的**

这两种区别的存在、“普及”与“提高”两者的存在为其依据的。如果只有一种而没有两种，比如说，只有工农兵大众读得懂的文学作品才是“为工农兵”的文学，是没有这问题产生的可能的；既说以这为主或以那为主，便先须有个“这”和“那”存在，不然，问题就无从发生。那么，有没有这**两种**文学作品的存在呢？《在延安文艺座谈会上的讲话》是说有的：

> 既有从低级程度的群众文学、群众艺术基础上发展起来的，为被提高了的群众所需要、或首先为群众中的干部所需要的，**比较高级**程度的群众文学、群众艺术；又有反转来在这种高级程度的群众文学、群众艺术指导下的，为今日最广大的群众所最先需要的，**比较低级**程度的群众文学、群众艺术（不是低级趣味）。

它并且清楚的指出这两种文学作品的区别主要在那里——

> 普及的文艺与提高的文艺都是加工过的文艺，（即是说都不是“人民生活中本来存在着”的自然形态的文艺，如“墙报、民歌、壁画、民间故事、民间语言等”。——雪）那么他们还有什么区别呢？有程度上的区别。普及的文艺是指**加工较少、较粗糙，因此也较易为目前广大人民群众所迅速接受**的东西；而提高的文艺则是指**加工较多、较细致，因此也较难为目前广大人民所迅速接受**的东西。（以上引文中的重点，均是我加的。——雪）

显然，这里所指出的区别，正是艺术水平（“加工”）上的区别，因而在目前就是读者多少上的区别，也就是“通俗”或“不通俗”的区别；而不是别的任何区别。实际上，这也是千真万确的事实。拿过去来说，例如鲁迅的《阿Q正传》，这是伟大的、“为工农兵”的作品了，但是艺术水平高，是“加工较多、较细致”的作品，因此读它的人在当时反不如读许钦文的多，不如许钦文能“通俗”。拿现在来说，比如柳青的《种谷记》和赵树理的《李有才板话》，或者是赵树理自己的《李家庄的变迁》和《小二黑结婚》，都是“为工农兵”的作品；但是比较起来，前者和后者同有个比较高级与比较低级的区别，能读后者（《李有才板话》、《小二黑结婚》）的就比能读前者（《种谷记》、《李家庄的变迁》）的多，也就是后者比前者“通俗”。艺术水平的高低，是受读者文化水平限制的；此外，还受着识字与不识字的限制，文盲的限制。于是，从整个艺术部门来看，不需要识字（我们现在谈的都指方块字）便能接近的艺术部门，如木刻、绘画、雕刻、演戏等，就比需要识字才能接近的文学部门易于做普及工作；从文学部门本身说，带通俗故事性质的长、短篇小说与刻画人物、描写细赋的长、短篇小说，歌谣、街头诗、枪杆诗与精致的抒情诗与叙事诗，秧歌剧本、群众报导剧本与技巧更现代化的新歌剧本和话剧本，也是前者比后者更易于接近群众。而干部看得懂、能领会，因而爱好的东西，群众并不一定能同样看得懂、能领会，因而不一定也爱好；因为除文字上的限制之外，又还有内容上的限制，由于政治的、思想的水平不同而来的限制。否认这些区别，否认有高级的与低级的两种文学作品的存在，是错误的，因为这即是否认文盲与非文盲的区别、否认文化水平文化教养（社会政治教养）上的区别、否认群众水平与干部水平的区别，否认文盲与非文盲的存在、群众与干部的存在。而这些区别和存在，则都系事实，虽然这些区别与存在的本身是相对的，而这些区别与存在则是绝对的。[1]

自然问题的中心还不在这里。在“普及”与“提高”的问题上，《在延安文艺座谈会上的讲话》所显示的、毛泽东文学思想的光辉及其对于马克思主义文学理论上的新贡献，主要还在于最明确的规定了这两者间的关系：普及是向工农兵普及，提高是从工农兵提高；提

[1] 所谓“普及与提高的本身是相对的”，就是说，人民在发展着，文学本身也必然要跟着发展。今天是“提高”的作品，明天将会变成“普及”。目前文学作品之难于为广大群众所接受，很大的一个原因是由于文盲和半文盲的大量存在现象；但文盲与半文盲，是在逐渐走向消灭的（由于从革命力量的发展巩固而来的、不断的普及文化教育运动的发展），到了那时候，情况便会有大大的不同，许多“提高”的作品便将得到“普及”。所谓“普及与提高的区别则是绝对的”，是说艺术水平高的作品与艺术水平低的作品的区别，因而比较“容易懂”的作品与比较“不容易懂”的作品区别，始终是有的；只要人民对文学的要求不断的在提高，文学本身在不断的发展，这种区别便不会消灭（自然会相对的缩小其意义）。事实上，人民对文学的要求是必然会不断提高，文学是必然会不断发展的。

高以普及做基础，而普及以提高为领导；因此“普及”是人民的“普及”，“提高”也是人民的提高。——

我们的文艺，既然基本上是为工农兵，那么所谓普及，也就是向工农兵普及，所谓提高，也就是从工农兵提高。用什么东西向他们普及呢？用封建的东西吗？用资产阶级的东西吗？用小资产阶级的东西吗？都不行，只有用工农兵自己的东西，因此在教育工农兵的任务之前就先有一个学习工农兵的任务。提高的问题更是如此。提高要有一个基础，譬如一桶水，不是从地上去提高，难道是从空中去提高吗？那么所谓文艺的提高，是从什么基础上去提高呢？从封建阶级的基础吗？从资产阶级的基础吗？从小资产阶级的基础吗？都不是，只是从工农兵的基础，从工农兵的现有文化水平与萌芽状态的文艺的基础上去提高。也不是把工农兵提到封建阶级、资产阶级、小资产阶级的高度去，而是沿着工农兵自己前进的方向去提高。

除了直接为群众所需要的提高以外，还有一种间接为群众所需要的提高，这就是干部所需要的提高。

普及也好，提高也好，它们的源泉从何而来呢？无论是那一等级的作为观念形态的文艺作品，都是人民生活在人类头脑中的反映和加工的结果，革命的文艺，则是人民生活在革命作家头脑中的反映和加工的结果。人民生活中本来存在着文学艺术的矿藏，这是自然形态的东西，是粗糙的东西，但也是最生动、最丰富、最基本的东西，它们使一切加工形态的文学艺术相形见绌，它们是一切加工形态的文学艺术的取之不尽、用之不竭的唯一的源泉。

在这里，普及是人民的普及，提高也是人民的提高，而这种提高，不是在空中提高，不是关门提高，而是在普及基础上的提高。这种提高，为普及所决定，同时又给普及以指导。就中国范围来说，革命和革命文化的发展不是平衡的，而是逐渐推广的，一处普及了，并且在普及的基础上提高了，别处还没有开始普及。因此一处由普及而提高的经验可以应用于别处，使别处的普及工作与提高工作得到指导，少走许多弯路。就国际范围来说，外国的经验，尤其是苏联的经验，只要是好的，也有指导我们普及工作与提高工作的作用。所以我们的提高，是在普及基础上的提高，我们的普及，是在提高指导下的普及。

而且，它还着重的指出与再次的强调："普及为主"，比较低级的文学作品的写作是主要的——

现在工农兵面前的问题，是他们正在与敌人作残酷斗争，而他们由于长时期的封建阶级与资产阶级的统治，不识字、愚昧、无文化，所以他们的迫切要求就是把他们所急需的与所能迅速接受的文化知识和文艺作品向他们作普遍的启蒙运动，去提高他们的斗争热情与胜利信心，加强他们的团结，使他们同心同德地去和敌人作斗争。对于他们，**第一步不是“锦上添花”的问题，而是“雪里送炭”的问题**。所以对于人民，第一步最严重最中心的任务是普及工作，而不是提高工作。轻视忽视普及工作的态度是错误的。

但也明确说明“提高”工作的不能忽视：比较高级的文学艺术是必要的，忽视了这一点也犯错误。——

但是普及工作与提高工作是不能截然分开的。普及者若不高于被普及者，则普及还有什么意义呢？普及若是永远停止在一个水平上，一月两月三月，一年两年三年，总是一样的货色，总是一样的《小放牛》，总是一样的“人、手、口、刀、牛、羊”，那普及者与被普及者岂不都是半斤八两？这种普及岂不又变成没有意义了吗？人民要求普及，跟着也要求提高，要求逐年逐月地提高。

除了直接为群众所需要的提高以外，还有一种间接为群众所需要的提高，这就是干部所需要的提高。干部是群众中的先进分子，他们一般都已受过群众所受的教育，他们的接受能力比群众高，因此他们不能满足于当前的和群众同一水平的普及工作，不能满足于《小放牛》等等。比较高级的文学艺术，对于他们是完全必要的，**忽视这一点是错误的**。（以上引文中的重点，均是我加的。——雪）

这一切的论点，是再明白也没有了。

二

可是，却有一种相当流行的“理论”，这种“理论”，是取消“比较高级的文学艺术”之存在、取消“提高”，从而便否认有“比较低级程度的群众文学”和“比较高级程度的群众文学”的区别、“普及”与“提高”的区别的，这就是“**懂不懂**”论。

《在延安文艺座谈会上的讲话》说，为工农兵的高级文学作品之产生的工作，——为工农兵的文学运动之“提高”工作，是怎样一种提高工作呢？它是“从工农兵的基础，从工农兵的现有文化水平与萌芽状态的文艺的基础上去提高。也不是把工农兵提到封建阶级、资产阶级、小资产阶级的高度去，而是沿着工农兵自己前进的方向去提高”，“在普及的基础上提高”。可是什么叫“从工农兵的基础出发”、“在普及的基础上”“沿着工农兵自己前进的方向去提高”？这种理论便回答说，拿工农兵自己看得懂看不懂作标准：看得懂的是工农兵的提高，看不懂、与他们“无缘”的，便是小资产阶级的提高。

> 那些文章，除了几个文人**看得懂**外，是完全与工农兵无缘的。**这就可以看出**，作者所想象的提高，决不是为工农兵，而是从小资产阶级的基础出发，想把工农兵提高到小资产阶级的高度去。（重点是我加的。——雪）

“提高”既是以工农兵群众看得懂与否为前提，自然没有什么“提高”可说。为工农兵群众都看懂得了，那就是上好的“普及”工作与“普及”文学作品。所以，在这种理论下写出的“提高”，其实是完全可以读作“普及”的。其理论的实质既是否定“提高”——为当前的工农兵群众所不懂或不太懂的高级的文学作品之存在，从而也就否定了有所谓“普及”与“提高”的区别。但《在延安文艺座谈会上的讲话》明明说：“提高的文艺则是指加工较多、较细致，因此也较难为目前广大人民所迅速接受的东西。”它说的以工农兵为基础的“提高”、“为工农兵”的“提高”，是以是否“沿着工农兵自己**前进的方向**”来判断，并不是以工农兵自己看得懂或者看不懂来判断。“沿着工农兵自己前进的方向”并不等于要工农兵自己看得懂，这是一目了然，无需解说的。可见，这种“懂不懂”论，虽然口口声声在说他根据的是毛泽东文艺方向，从《在延安文艺座谈会上的讲话》出发，其实也是一种理论上的“归化”现象，既没有认真研究《在延安文艺座谈会上的讲话》，也没有深思毛泽东的文艺方向，只是在“以意为之”的拉这些来归化他自己，也是一种“小资产阶级出身的人们总是经过种种方法，……顽强地表现他们自己，宣传他们自己的主张”的企图。但是这种廉价的主观主义，是更经不起事实的考验的。

鲁迅的《阿Q正传》，算是为工农兵的伟大的作品了吧，但在目前，莫说工农兵大众，就是普通的初中学生——识字已经有好几年的小资产阶级，也还是不大能懂。因为这里，和鲁迅的其他作品一样（如“杂文”），不只有文字上的限制，还有内容上的限制。认得字了，理解它的内容还得有相当条件的具备，如社会经验之类；就是毛主席的《在延安文艺座谈会上的讲话》，也何尝那样“好懂”，如果没有认真的动动脑筋与虚心的学习精神，就是“文人”，也还是不够明白的。托尔斯泰的《战争与和平》，就不如他专写给农民看的小册子“好懂”，而伊林的苏联小孩子都可以看懂的著作，翻译到我国来，要识字很多的大孩子才能看（不用说也是小资产阶级出身的）；然而苏联的红军战士，确实有口袋里放着普式庚底诗集的。这就因为除了内容上和表现手法上的限制之外，还有文字上的限制。这不是任何人的臆造，而是客观的铁的事实。

我们说我们的文学方向是“为工农兵”，这固然要在文字上、在“深”“浅”的作品之写作上表现出来，所以必然要提出“以普及为主”；但首先的、第一义的东西，是内容。不然，一切小资产阶级革命知识分子，都可以冒充工农兵，而实际是站在工农兵之外去教训工农兵，拿自己的一套化成“工农兵自己也能懂”的形态去宣传他们，“教育”（？）他们；而帝国主义的教会的《圣经》，封建阶级的《七剑八侠》、《儿女英雄传》与连环图画小说等等，也成了工农兵方向的模范作品了。工农兵与为工农兵的事业并不简单，有识字的工农兵群众与不识字的工农兵群众（目前来说，后者比前者的数量还大到不知多少倍）；有与工农兵群众的文化程度和文化要求不一样的工农兵干部与为工农兵事业服务的、工农兵化的干部。这一切，都是我们工农兵文学的服务对象。何况，为工农兵的文学运动里，如果抹掉了为干部的、高级作品写作的组成部分，那么为群众的普及作品的写作，就会陷于盲目，有失掉方向的危险。所以《在延安文艺座谈会上的讲话》才说：“除了直接为群众所需要的提高以外，还有一种间接为群众所需要的提高，这就是干部所需要的提高。……比较高级的文学艺术，对于他们是完全必要的，忽视这一点是错误的。”

这里摆着两本书，一本是柳青的《种谷记》，一本是赵树理的《李有才板话》。拿“从工农兵的基础”出发和“沿着工农兵自己前进的方向去提高”这一真实的尺度来衡量，这两本书都是“为工农兵”的好作品，都是符合于这个要求而彼此是“半斤八两”，没有逊色的。但要从工农兵自己看得懂看不懂来衡量的话，那两者的差别就很大。虽然由于目前工农兵文化程度之低，两者基本上都是干部读物（大体来说，一只能到县，一能到县以下），但《李有才板话》无疑比《种谷记》能获得更多数量的、更接近于工农兵大众目前文化水平的读者。而另一方面，在能看懂的人读起来，《种谷记》所能给予他们的满足，却又不是《李有才板话》所能给的。我们看看这两段人物介绍吧：

阎家山有个李有才，外号叫“气不死”。

这人现在有五十多岁，没有地，给村里人放牛，夏秋两季，稍带看守村里的庄稼。他只是一身一口，没有家眷。他常好说两句开心话，说是“吃饱了一家不饥，锁住门也不怕饿死小板凳”。村东头的老槐树底有一空土窑，还有三亩地，是他爹给他留下的。后来把地押给阎恒元，土窑就成了他的全部产业。……

在老槐树底，李有才是大家欢迎的人物，每天晚上吃饭的时候，没有他就不热闹。他会说开心话，虽是半句平常话，从他口里说出来就能引得大家笑个不休。他还有个特别本领是编歌子，不论村里发生件什么事，有个什么特别人，他都能编一大套，念起来特别顺口。这种歌，在阎家山一带叫“抗溜嘴”，官话叫“快板”。(《李有才板话》)

这王存恩是王家沟一个特出人物，和维宝们比较，仿佛他们活的年代之间前后错着好几百年。老汉的旧瓜皮帽下边还拖着一条老鼠尾巴一样又细又短的辫子，很显然地给人们表明着他的气质。不仅在王家沟，便是周围三二十里以内，他都是有名气的人物，从未发过脾气，对甚么人都是一样的好心。他一辈子忌口，不知道腥晕和葱蒜的味道；已经七十来岁了，还是满口牙，被所有叹息咬不下的老人们羡慕着。老汉对于看“皇历”可以说够一个专家了，手上掏算得也不错；不过“善人”的称号却是因为他心好得来的，不管你丢了东西要寻找，亲戚害病要去看望，打土窑破土下线，受了惊叫魂确定方向和步数，只要问到他，无不有求必应，立刻伸手给你掏算起来，因此他的“菩萨心肠”很使许多人感动。四福堂在“中央军”里当官的大财主王相臣是他老婆奶大的，他对他比对自己的亲生儿子王加祥还要关切，虽然奶儿恐怕早忘了他的这个穷奶爹，但他却永远带着一种深厚的感情怀念着他，一听说有家信回来，他便到四福堂去看，信里没有一回问候到他和他的老婆，他也自动原谅了，因为他觉得人家在外公务繁忙。大凡这样的人，也许都对新社会没有好感的，存恩老汉却不然，他不像王国雄们一样对一切都是随时随刻不满；因为他认为，八路军既能混了现在这样大，毛泽东也必然是有点星宿的人。众人很是了解他在许多会上提的意见，本心都不是恶意，或者说存心捣乱“工作”，因为这与他一贯为人的品行是相违的。他之所以在说话以前要征求一下同意，其原因仅是因为近来很有几次他的意见受了大多数人的反对，特别是为了将神钟移到村里来打的事，他几乎生了全村的气。招喜他们甚至说，王加祥参加了会，老汉便不必来了，他可以在家里静静地养神修道，翻看他的“万年历”去。虽然如此，他还是由不得来，来了便由不得说话；他怕因他的沉默而铸成大错，很对不起全村的人，有碍于死后的发展前途。（《种谷记》，一〇六——一〇八页）

再看另外两段：

小二黑是二诸葛的二小子，有一次反扫荡打死过两个敌人，曾得到特等射手的奖励。说

到他的漂亮，那不只在刘家峧有名，每年正月扮故事，不论去到那一村，妇女们的眼睛都跟着他转。(《小二黑结婚》)

这维宝是王家沟激进派的代表人物，自从绥德训练回来以后，更是比以前突出，话也比以前多。他当自卫军排长，上山种地也结着皮带，扎着绑腿，背着他那一杆装了火药和石子的土枪。在他的领导之下，自卫军的王家沟基干班（全是二十上下的年轻人）都跟他学。这倒是无可非议的事，因为在这一带边境地区，从“白地”里混进来特务和政治土匪是常有可能的；但他像脱离生产的干部和学生一样留起头来，却是毫无理由，毫无益处。他爸老是嘀咕他，嫌众人笑话，要他剃掉，他好像没有听见一样，不理那回事。嘀咕得他厌烦起来的时候，他返过来说：“你那个旧脑筋就是要好好改造！”“怎么改造？”他爸冒火了：“你看怎么改造法？啊？”于是这话便传为王家沟的笑柄了。其实这话并无恶意，也没毛病，只是对

> 象特别，所以对维宝在工作中的威信很有影响。(《种谷记》，三四页)

从这里便可以看出（把全书都比较一下更好），人物是同样真实的人物，都是描写存在于中国现代革命农村里的农民，而作者都是熟悉与理解了他们，没有什么歪曲的地方，就是说都是及格的真正“为工农兵”的作品；而且从群众在发展着因而人民对文学的要求也会提高的观点看来，后者的写作道路，比如刻画人物、洗练语言、表现精密——深等等，还能给前者以发展方向上的参考。同时，两本书的内容——“为工农兵”的相同，不妨碍两本书的不同，所给予读者的感受的不同，读者范围的不同。谁能以《种谷记》“太深”、“与工农兵群众无缘”的理由，判定《种谷记》便是“想把工农兵提高到小资产阶级去”呢？所以，问题是这样答复的：所谓从工农兵的基础、沿着工农兵自己前进方向的“提高”工作，就是那种不只通过马克思主义——无产阶级的政治观点，而且通过小资产阶级革命知识分子的自我改造，通过工农兵的感情去表现现实，在目前是只能以干部为对象的、运用比较复杂与比较完备的现代艺术技巧去表现现实的文学工作。所谓比较高级的、首先为工农兵的干部所需要的文学作品，就是那种正确了解、正确掌握、从而正确表现了工农兵，或不只通过马克思主义的观点，而且通过工农兵的感情或与工农兵一致的感情去表现其他事物的，那种艺术水平较高的、为当前的工农兵群众所暂时难于接受的作品。而这为什么也是“为工农兵”的作品呢？除了这些作品的内容不是小资产阶级革命知识分子的自我表现底内容之外，“同时应该了解，为干部，也完全是为群众，因为只有经过干部才能去教育群众、指导群众”(《在延安文艺座谈会上的讲话》)。

其实，如果以“懂不懂论”来指导一切，对于文学领域，“为工农兵”的问题非常简单，可以简单到没有工作；因为现刻绝大多数的工农兵群众根本不识字，少数的工农兵群众只识少数的字，除极少的例外，一般的还谈不到阅读**文学作品**。然而这也就可看出这种理论的真象。这里，鲁迅的教导仍然是最好的：

这一回，大众语文刚一提出，就有些猛将趁势出现了，来路是并不一样的，可是都向白话，翻译，欧化语法，新字眼进攻。他们都打着“大众”的旗，说这些东西，都为大众所不懂，所以要不得。其中有的是原是文言余孽，借此先来打击当面的白话和翻译的，就是祖传的“远交近攻”的老法术；有的是本是懒惰分子，未尝用功，要大众语未成，白话先倒，让他在这空场上夸海口的，其实也还是文言文的好朋友，我都不想在这里多说。现在要说的只是那些好意的、然而错误的人，因为他们不是看轻了大众，就是看轻了自己，仍旧犯着古之读书人的老毛病。(《门外文谈》——《全集》第六卷，一〇九页)

他又说：

文艺本应该并非只有少数的优秀者才能够鉴赏，而是只有少数的先天的低能者所不能鉴赏的东西。

但读者也应该有相当的程度。首先是识字，其次是有普通的大体的知识，而思想和情感，也须大抵达到相当的水平线。否则，和文艺即不能发生关系。若文艺设法俯就，就很容易流为迎合大众。迎合和媚悦，是不会于大众有益的。(《文艺的大众化》——《全集》第七卷，七七二页)

且不因“难懂”而牺牲精密：

欧化文法的侵入中国白话中的大原因，并非因为好奇，乃是为了必要。国粹学家痛恨鬼子气，但他住在租界里，便会写些“霞飞路”、“麦特赫司脱路”那样的怪地名；评论者何尝要好奇，但他要说得精密，固有的白话不够用，便只得采些外国的句法。比较的难懂，不像茶淘饭似的可以一口吞下去是真的，但补这缺点的是精密。胡适先生登在《新青年》上的

《易卜生主义》，比起近时的有些文艺论文来，的确容易懂，但我们不觉得它却又粗浅、笼统吗？（《玩笑只当它玩笑（上）》——《全集》第五卷，五七七页）

并赞成“不得已的时候，大众语文可以采用文言、白话、甚至于外国话”。而这个，在他自己的作品里，在毛泽东的一切著作里，以至在这里引作例证的小说《种谷记》里，都这样实行着，自然，都没有想把工农兵“提高到小资产阶级去”的意思，那是可以断言的。

“普及”必要，“提高”就必要；缺少或轻薄“提高”，“普及”也定难做好。

三

但是为什么要以“**普及为主**”呢？

《在延安文艺座谈会上的讲话》回答说：

现在工农兵面前的问题，是他们正在与敌

人作残酷斗争，而他们由于长时期的封建阶级与资产阶级的统治，不识字，愚昧，无文化，所以他们的迫切要求就是把他们所急需的与所能迅速接受的文化知识和文艺作品向他们作普遍的启蒙运动，去提高他们的斗争热情与胜利信心，加强他们的团结，使他们同心同德地去和敌人作斗争。对于他们，第一步不是“锦上添花”的问题，而是“雪里送炭”的问题。所以对于人民，第一步最严重最中心的任务是普及工作，而不是提高工作。轻视忽视普及工作的态度是错误的。

因此又说：

比较高级的文学艺术，对于他们（干部）是完全必要的，忽视这一点是错误的。但是这种需要，暂时还只是干部的需要，而不是群众的普遍需要；适应这种需要应该是一个方针，但是不应该成为今天的整个方针或今天中心的方针。

在文学领域里，对于这个原则，我们还可加以更多的陈述。

我们是处在新民主主义革命的时代，而且在这时代里，进行着长期的革命战争，（已经有差不多四分之一的世纪了！）而进行与支持这革命战争的主人，负担最重与出人最多的，是农民；革命的根据地，过去一直也主要放在农村。我们的文学既是为工农兵，当然就要面向工农兵，在新民主主义时代的**目前阶段**来说，特别要面向农民。但我们当前的、进行着二十世纪现代革命斗争的农民，情形是很特别的。就拿俄罗斯做比方吧：当他们的农民跟我们的农民处在同样境地，即在无产阶级的领导下来从事本阶级翻身斗争的时候，他们已经有几十年（从一八六一年起）资本主义的发展，有几十年革命的民主主义者们“到民间去”——即到他们中间去的活动，更有了近百年伟大的、光辉的俄罗斯文学的影响。而我们呢？我们的农民是从长期的封建停滞，从自然经济的封锁与野蛮政治的封锁里一下暴露在现代马克思主义的革命思潮及其运动的面前，并组织在这中间；他们手拿利刃屹立起来，但必须进行二十世纪式的中国型的革命斗争，即指导的是马克思主义的路线，接受着中国工人阶级的策略原则，进行极为曲折、复杂与忍耐的斗争。这斗争的曲折与忍耐程度，到有时不能不于相当长期内和地主讲“统一战线”，以取得农村的相安而共同一致去对付民族大敌。这就是说，其准备、教养的过程比俄国农民要短十倍，而其所担负的斗争任务，却比俄国农民要艰巨十倍。因而，大堆大堆的新东西迅速出现在他们的面前，要和他们发生关系，他们的思想就不能不急速地起着反映；而新事物跑进生活里来的是那样丰富与众多，多到有时甚至超过大部分地方的工人阶级（因为二十年以来的革命发展过程一直是从乡村到城市）。他们的生活变化，在这短短的二十多年内，实在是太剧烈了，用的完全不是一般的发展速度。以几乎百分之百的文盲状态在中国无产阶级的领导下起来应付与支撑这样一个伟大的时代，完成这样巨大的革命任务，其对于文化知识的启蒙要求之迫切，是完全可以理解得到的。在这方面（文化），我们工人阶级的情况，自然比农民较好一点，这是必然的；然而大体上也相差不多。因为我们是一个工业落后的国家，这除了工人阶级的数量还很小之外，工人阶级本身的历史还不长，大部分都还是本身工人，脱离农村不久，甚至一部分还保持着与农村的经济上的密切联系。他们的文化程度与农民相差有限，然而他们却是新民主主义革命中处于领导地位的阶级。既面对着这样的情况，自然我们在文学战线上的任务，也跟其他文化战线的任务一致，应以主要的精力来满足更为多数与更为直接的工农兵群众的要求，在整个文学部门中，因此以群众剧本（秧歌剧本、报导剧本、通俗话剧本）的写作为主，以群众诗歌（歌谣、快板、墙头诗……）的写作为主，以及以通俗故事体的小说寓作为主。我们也要有为干部的、特别是为文化部门做普及工作的干部的、较高艺术水平的作品之写作，如《在延安文艺座谈会上的讲话》说的，这也不可忽视；但这其所以"不可忽视"，是为了不断的提高与丰富他们做好他们的群众工作与文化普及工作，因此是帮助他们能不断与更好的满足工农兵群众的一切文化要求，所以是"一个方针"而不是"中心方针"。

从文学的本身看，我们二十五年来的新文学史，尚未给我们新文学的远大发展前途培植好一个根深蒂固的基础，能有一个深厚的文学土壤，可以吸取文学发展底无限的力量。希腊神话里有个故事，说：地的儿子巨人安太乌斯（Antaeus），他的力量是无穷的大，没有他的敌手；他这无穷的力量从那里来呢？从他的母亲——大地那里来：无论处在任何战斗的险境，当安太乌斯筋疲力竭的时候，他只要往地上一躺，力气便可以马上复原。我们过去的新文学，就还没有获得这样的大地，可在任何时候投入她的怀抱而获得无穷的力；所以二十五年来出现了一些令大家苦思而不得其解的现象，比如《阿Q正传》以后再没有赶上并超过它的作品；比如有的文学部门（诗）甚至还没有走上发展的轨道；比如从质量来看，文学作品总是那样的贫弱……。自从《在延安文艺座谈会上的讲话》以来，这地方是清楚了，培养我们新文学的取之不尽用之不竭的源泉，是工农兵的实际生活和他们的自然形态的文艺；但是怎样"从他们吸收群众的养料、把自己充实起来，丰富起来，哺养起来"呢？这个普及工作便是正常的结合与吸取养料、建立根基的办法，是切合这个要求的唯一途径，是塑造"伟大作品"的必经前提。没有"素材"式的、以直接反映工农兵的各种实际生活及其人物为内容的文学作品，大量的、成千成万册的优秀的通俗故事体小说，各种形式的、在群众中获得威信的剧本，与能在大众口头上生存的、通俗诗歌作品之产生，我们的文学要获得一个开花发展的将来，是不可能的。那么，为了我们新文学本身的发展前途，以文学的普及工作为我们今天文学运动的中心方针，也是迫切必要的。

最后，从文学工作者的本身看，也同样需要这样的方针。我们的文学工作者既是出身于小资产阶级，而由于中国半殖民地半封建的社会性质，我们获得科学知识与艺术工作能力的现代小资产阶级知识分子，既较之外国资本主义以及社会主义国家的小资产阶级知识分子更与自己民族的原来色彩失去调协，那么，当我们要来实践文学的工农兵方向时，首先一个将是生活问题而不是写作问题（也就是“在教育工农兵的任务之前先有一个学习工农兵的任务”）。不对工农兵获得深刻的知识与正确的理解，如何能表现工农兵；要获得这样的知识与理解，则非先有伴随着自我改造过程的、深入工农兵生活的努力不可，不然，从本人来说，也没有实践文学之工农兵方向的可能，更不要说自己获得表现工农兵能力的深厚基础了。五年来，在文学之工农兵的方向下，实践得有成绩的人，如赵树理、如柳青以及别的人，无一不证明这一条是真理。文学决不骗人，倒是自己的不切实会骗自己的。过去二十五年中，表现在我们作家身上的，也有一个一般适用的现象，就是第一部作品（所谓“处女作”）超过本人后来的一切作品；后来的作品虽在技巧上圆熟一点，但在内容上却是逐渐空虚，逐渐与现实更加游离，自不用说能更另辟蹊径，完全跳出小资产阶级底圈子的。这就是证明，从个人来说，要获得个使自己的写作能力无限富饶的源泉，也只有深入到工农兵这里来，并正适宜于先用艺术上比较低级的形式学习表现他们。既是在可望写出成功的作品之前还有个艰苦的生活过程，既是要首先获得为自己一向少见的、工农兵的美妙故事与成千成万翻江倒海的英雄，——获得这些人事的深刻认识与正确理解，那么，也非首先从事普及工作不可！工人、农民子弟学校的小学教师，乡（村）文书与工厂职员，连队文教干事，工农剧团的业务指导员以至报社的记者等，正是最为优良与最为难得的位置。

而普及作品的写作或群众自己集体写作的组织和参加，就是最好的培养自己写作高级作品的基础，磨练新的写作能力与不断积累材料的最好方法。

是不是可以说，《在延安文艺座谈会上的讲话》发表已经五年之后，文学之工农兵方向的实践已经获得现在这样成绩之后，“普及为主”的方针是否应该加以修改了呢？对于这个问题的回答，显然要取决于三个方面：第一，工农兵大众的情况，他们文化水平很低因而启蒙的（“雪里送炭”的）文化教养的要求异常迫切的情况，改变到如何程度以及有了基本的改变没有？第二，我们所有文艺干部——小资产阶级革命知识分子的自我改造、熟悉与正确理解工农兵的过程完成到如何程度，以及普遍的完成了没有？第三，“普及”作品产生的数量（从质量来看的）满足工农兵的文化要求到如何程度，以及基本满足了没有？而当从这样三个方面来加以考察的时候，那么，我们实践文学之工农兵方向的、从而实践“普及为主”的方针，不过才是开始；我们的“普及”工作，也不过才是开始。

四

当我们从文学的领域、在文学的工农兵方向下来谈“普及为主”的时候，必不可避免的要碰到文盲问题，因此就不能不碰到文学的工具问题——文字问题，这个一般的文化革命问题上去。因为文学作品要易于收到“普及”的效果，广泛走到工农兵群众的手中去，就得消灭文盲之惊人存在的现象；消灭文盲的办法，当然是要使他们识字，认得用来写文学作品的这个东西——方块汉字。可是，这一问题正是个极大的问题，许多年来，明知它阻碍着新文学的向前发展，然而却对之无可如何的问题。

我们的方块汉字，是一种十分古怪的东西——

> 中国文字的基础是象形。
>
> 象形，“近取诸身，远取诸物”，就是画一只眼睛是“目”，画一个圆圈，放几条毫光是“日”，那自然很明白，便当的。但有时要碰壁，譬如要画刀口，怎么办呢？不画刀背，

也显不出刀口来，这时就只好别出心裁，在刀口上加一条短棍，算是指明“这个地方”的意思，造了“刃”。这已经颇有些办事棘手的模样了，何况还有无形可象的事件，于是只得来“象事”，也叫做“会意”，一只手放在树上是“采”，一颗心放在屋子和饭碗之间是“宁”，有吃有住，安宁了。但要写“宁可”的宁，却又得在碗下放一条线，表明这不过是用了“宁”的声音的意思。“会意”比“象形”更麻烦，它至少要画两样。如“宝”字，则要画一个屋顶，一串玉，一个缶，一个贝，计四样；我看“缶”字还是杵臼两形合成的，那么一共有五样。……

不过还是走不通，因为有些事物是画不出，有些事物是画不来，譬如松柏，叶样不同，原是可以分出来的，但写字究竟是写字，不能像绘画那样精工，倒底还是硬挺不下去。来打开这僵局的是“谐声”，意义和形象离开了关系。……然而那基础也还是画画儿。例如“菜，从草，采声”，画一窠草，一个爪，一株树：三样；……总之：如果要写字，就非永远画画不成。

但古人是并不愚蠢的，他们早就将象形改得简单，远离了写实。篆字圆折，还有图画的余痕，从隶书到现在的楷书，和形象就天差地远。不过那基础并未改变，天差地远之后，就成为不象形的象形字，写起来虽然比较的简单，认起来却非常困难了，要凭空一个一个的记住。……

还有一层，是“谐声”字也因为古今字音的变迁，很有些和“声”不大“谐”的了。现在还有谁读“滑”为“骨”，读“海”为“每”呢？（鲁迅:《门外文谈》——《全集》第六卷，九一、九二——九四页）

在这样古怪的文字基础上造成的“古文”，当然更加古怪，更加难学。而对于封建阶级，这倒是它难得的好处，等于获得了个反动思想统治的自然保证，于是便十分宝贝它。所以，“五四”文学革命的当时，文学工具问题（文言与白话）上的论争，就来得异常的激烈，来得异常的持久；甚至到了民国二十三年，还有汪懋祖等人搅什么“文言复兴运动”。这当然并非由于文学革命者方面的主观所想，所谓“认定文字是文学的基础，故文学革命的第一步就是文字问题的解决”（胡适）所造成的。倒是封建势力深切的知道，“古文”存在，古文的思想（封建主义）就会存在，即令也可以用古文宣传反封建的思想，但那作用便不会大，还可以暂时容忍，过一会再来解决。从这里也就可以看出，对于中国，文学工具问题的解决，有着较之其他国家（用拼音文字的国家）更为重大的意义，虽然更主要的和更为先决的同样是内容问题与思想问题。

“五四”的“文白之争”，革命的一方面（白话）是胜利了的，只是，这胜利有一个限度，就是文言文的基础——方块汉字并没有打倒；白话文既不能不也建筑在方块汉字的基础上，因而“言”“文”依旧不能一致，文学的普及（通俗）工作依旧有极大的阻碍，革命文学依旧不能为广大群众所接近。方块汉字既是“不象形的象形字，不十分谐声的谐声字”（鲁迅），工农兵大众要一个一个的认识它而至于能看书，实在非付出极大的时间精力上的代价不可，何况他们处在长年累月的革命环境中，大部分政治上都没有翻过身来；即令都翻身了，战争结束，工农大众在和平环境里来建设自己的国家，提高自己的文化时，是否仍需要支出这样大的时间精力的代价来学习背时的方块汉字不可，也还要全部考虑的，甚至这时就已经可以肯定：并不必要。

仍然以方块汉字为基础的白话文，虽然没有彻底解决问题，可是也尽了和在尽着走向全盘胜利去的历史的使命；只是方块字与工农大众实在势不两立，因而文学普及问题的彻底解决，必然要联系到文学工具问题的彻底解决去，这是无可非议的了。在这点上，瞿秋白是说得对的：

> 废除汉字的理由，不用多说。第一，汉字是十分困难的符号。聪明的人都至少要十年八年的死功夫。平民千字课只够写写简单的信，记记简单的账。能够用平民千字课学科学吗？

当然不能够。第二，汉字不是表示声音的符号。根据这种符号要创造“新的言语”，一定必然的只能造出比古文更麻烦的言语——仅只是纸面上的、书本上的言语。汉字存在一天，中国的文字就一天不能和言语一致。第三，汉字使“新的言语”停滞在《康熙字典》的范围里面，顶多只能从“说文”里面去找“古音古义”等来翻译现在的科学的字眼，而不能够仅量发展——采取欧美科学技术的新名词。例如“什麽”总是日常语言之中最普通的字眼了，然而你看那个“麽”字多么困难。这种汉字对于“平民下等人”，简直是活受罪，对于一切儿童，也是消耗他们精力的罪魁。……总而言之，要写真正的白话文，要能够建立真正的现代中国文，就一定要废除汉字采用罗马字母。我们可以把一切用汉字写的中国文叫做“旧中国文”或者汉文，而把用罗马字母写的中国文叫做“新中国文”。或者简直叫做“中国文”，而革掉汉字文的“中国文”的头衔——因为汉字

> 不是现代中国四万万人的文字，而只是古代中国遗留下来的士大夫——百分之三四的中国人的文字。
>
> 所以现代普通话的新中国文，应当是习惯上中国各地方共同使用的，现代“人话”的，多音节的，有语尾的，用罗马字母写的一种文字。(《鬼门关以外的战争》——《乱弹及其他》，一七五——一七七页)

不过，从目前来说，也只能原则上是如此。因为拉丁字拼音的新文字要能够实现成为“新中国文”，还须待相当的过程。首先，要工农兵取得了全国的政权，并且有了相当的巩固，才能有施行这一“东方伟大的革命”的充分政治条件，不然，“跛着脚是走不成路的”（鲁迅）。第二，要实行全国性的措施，有些问题还得“从长计议”一番，“打通思想”，商量一些具体问题的解决办法，比如过去的文化遗产如何处理之类。第三，新文字实行的本身还有繁重的准备工作要做，如从圆满解决新文字的各种方案到大量的书籍报纸的印刷等等。所以，特别在文学领域，超现实的性急是不行的，性急必将流于空论。比方说吧，一谈文学大众化——文学普及工作，就要求凡工农兵群众都要能看懂；于是只有立即实行文学工具的改革，实行拉丁化；而拉丁化什么时候方能实现呢？照着这样推论下去的高妙结论，就会弄到不堪设想的地步。所以，当前的文学普及工作，还是只有暂时凭借白话文来做，"懂得"的人是会少一些，但也不必便被吓倒，在"都懂得"的新文字还没有之前，就只有这一个法子；也不必减少勇气和信心，凡事只要不是毒药，做一点总比全不做强。至于目前工农兵大众在文化上所受的方块字限制（文盲及半文盲），只好由别的方法（文化课）来弥补，也不因为终有实行拉丁字母拼音的新文字的一天，而现在便不肯教他们认识方块字。在文学的普及工作上，应努力做的，首先是**尽量产生比较易懂的作品**：尽量获得工农兵大众的语言，把它吸收到文学里来，尽量写出比较单纯浅显，易于明了的东西。当工农大众的语言从文学上得到充分掌握，白话文和工农兵的口语尽最大限度的一致起来时，便帮助了全国真正统一的国民语言之形成，同时也是给拉丁化中国新文字开辟和铺平道路的，决不是白费。鲁迅说：

> 普及拉丁化，要在大众自掌教育的时候。现在我们所办得到的是……竭力将白话做得浅豁，使能懂的人增多，但精密的所谓“欧化”语文，仍应支持，因为讲话倘要精密，中国原有的语法是不够的，而中国大众的语文，也决不会永久含胡下去。……
>
> 在乡僻处启蒙的大众语，固然该纯用方言，但一面仍然要改进。譬如“妈的”一句话罢，乡下是有许多意义的，有时骂骂，有时佩服，有时赞叹，因为他说不出别样的话来，先驱者的任务，是在给他们许多话，可以发表更明确的意思，同时也可以明白更精确的意义。(《答曹聚仁先生信》——《全集》第六卷，七九页)

在拉丁化新文字能普遍实施之前，这些原则，仍旧是真理。

五

普及为主，提高为辅的方针，即是说以写作比较低级程度的、易为当前广大群众所迅速接受的作品为主，以写作比较高级程度的、因此也较难为当前广大工农群众所迅速接受的作品为辅的方针，是完全正确的。而这正确，既是由于当前工农兵群众所存在的问题是急需普遍启蒙的问题；既是由于普及要有方向，干部也要有读物。那么，文学的任务就在于通过文学作品，把工农兵群众所迫切需要与关心的东西满足他们，把工农兵的干部所迫切需要与迫切关心的东西满足他们，是毫无疑义的。

《在延安文艺座谈会上的讲话》发表以来，有五年了；这五年中，在解放区文学运动里，普及为主、提高为辅的方针，原则上是贯彻了的，特别是文学普及工作，能为当前稍有水平的工农兵及其一般干部所易于接受的作品的写作，五年来获得了许多成绩，新鲜了全国的耳目。但正因为有了五年的历史，有的地方，也能看出一些存在于思想指导上的弱点。[1]

工农兵文学的普及工作，既是为了完成以文学作品来尽启蒙作用的任务，满足工农兵群众的要求，同时，也是为了建筑我国新文学远大发展的基础与培育我们的作家，使他们更便于完成小资产阶级革命知识分子的自我改造过程；那么，这一工作的基本方针或基本方法，**首先**应该是和**当地的**工农兵大众深相结合，首先熟悉与吸收**当地**工农兵的“萌芽形态的文艺”，以及批判地接受其旧民间文艺的传统，像一九四三年陕甘宁所做的那样，才能达到上述目的，才能在艺术上有创造性，和才能更直接与深入的与当地工农兵结合，为其服务；同时，也才能使我们的文学普及工作不囿于一时一地的经验与局限于部分地区的成果；从工作者本人来说，也才更有助于自己的小资产阶级性的改造。这是明白的。但我们首先的一个缺点，便是和当地的结合不够，不熟悉当地的群众，不发掘当地民间文艺的宝藏，因此，就难于在

[1] 由于各解放区文化交流上的困难，我这里只能以我所体验到的事实——某一地区存在的现象出发来作分析。所以，这些问题或者有着很大的局部性。

既有成绩上作新的添加，再加发展，发挥创造性。结果是模仿多而创造少，不是“总是一样的《小放牛》，便是总是一样的“兄妹开荒”。

陕甘宁的成果是应该吸收与应该学习的，首先是学习他们的作工方法——和当地人民大众与当地人民大众的文艺结合，批判吸收而加以适当的加工创造的方法，然后才是搬演他们的剧本。不然，如一味的简单“翻板”，是会连模仿也做不好的。因为，无论导演也好，演员也好，自己没有和当地人民结合的思想，没有对工农兵的亲身体验与研究掌握，对原作的精神总会隔着一层纸，结果便既不像那里，也不像这里。在写作上，主要的就只能依靠“仿造”——改头换面来产生剧本，或者依靠“想象”来产生剧本，于是还是与实际脱力，依旧是悬在空中的东西。小说部门的情形也同样，不以深入当地实际的人民生活并改变自己为基础，专靠“访问”得来的材料按照一个公式描画成章，“千篇一律”的毛病依旧难免，实质上还如延安文艺座谈会以前一样，进步的只在于改换了故事，比如以前写小资产阶级革命知识分子在革命中如何“受苦”，现在则写农民的翻身；

但与农民的真实相貌，依旧格格不入，好的还尽了“记载出来”的任务，差的则就是些对革命群众的歪曲！用《在延安文艺座谈会上的讲话》的用语，这都是还没有“移屁股”。问题的解决，只有认真深入到当地人民（工农兵）的实际生活里去，改变自己，从深入的理解来求得真实的表现，只有这样，“赵树理”才会多起来，真正的比较普及（大众化）的作品也才会多起来。这是一定的。而只有不分地区的都与当地的人民结合，在当地人民里生根，才有可能避免不是“总是一样的《小放牛》”。

由于没有首先从根本问题上（以深入工农兵生活完成小资产阶级革命知识分子的自我改造）解决对实践文学之工农兵方向的思想认识，就不可能有足够的创造，就只能在形式上求模仿；于是反映出另一种思想上的弱点，就是不太研究对象：在全部工业化的都市里，也一律照搬农村的“秧歌”，在工人阶级中，也不依照他们的生活和他们的特点来写新的更有现实性的剧本；部队文艺活动的对象是战士，战士的生活是打仗和准备打仗，当然他们首先需要的，是除了娱乐或即在娱乐之中便能给予对打仗有帮助的东西，鼓舞士气的东西，然而最喜欢给他们的依旧是后方农村的“秧歌”，甚至陕甘宁农村中演出的“秧歌”。自然秧歌不是不好，而是首先应从他们出发。对于这点，刘伯诚将军曾给过批判的意见，是非常中肯的。总之，我们应该除了把普及工作和自身的改造任务结合起来之外，还应该发掘当地人民及其生活特点，发掘当地民间文艺宝藏，根据对象，加强有创造性的工作。中国这样大，广大无边的工农兵群众里各式各样的典型、英雄这样多，民间文艺传统如此富饶（无论戏剧或“小说”），解放区也如此宽阔，我们首先应在普及工作上看到不断的新鲜的作品出来。为什么“首先”？就是因为文学的普及工作，是更为直接与更为迅速的反映现实的工作。

在文学的“提高”工作，为干部的、艺术水平上比较高级的文学作品的写作上，存在于思想上的情况，是超乎应有的忽视。仿佛“为工农兵”的文学方向根本排斥为工农兵干部的“提高”工作，可是也并不认真的（有创造精神的）作普及的实践。竟有如鲁迅讲的，一提到“内容的充实和技巧的上达”，听的人便闷头，或不分皂白目之为“小资产阶级的提高”。其实，这前后思想的存在，是必然相联，互为表里的：普及工作上安于模仿，提高工作上必安于“维持现状”，甚至一片白地，不用努力。因为，普及工作上失去创造的内容，自然便没有什么新的问题（思想上、艺术上）要提出，也就无须增加什么本领，丰富什么教养，吸取什么新的东西，学取什么更进一步发展的技巧，例如讲求刻画人物与锻炼语言等等。所以，问题便提不到“提高”工作的加强上来，不感到它的需要；这反过来又强固了普及工作的模仿倾向。然而实际生活的要求当然不是如此，于是干部们便大量的阅读“外版书”——上海来的作品。这不是说上海来的作品不应看，而是说一部分的工作是怎样的被搁着，人们只好全部靠“外来货”充饥。但是，只从反映现实的角度来说，外来的作品只是国民党反动统治下的现实的反映，干部们所更迫切需要与更为关心的自己社会现实的反映（低级的作品他们读起来不够满足），还是空白，不能解决的。

我们的文学运动在解放区内如没有自己的“提高”工作，产生艺术水平上比较高级的作品的工作，仍是没有实践或没有完全实践《在延安文艺座谈会上的讲话》的。

在实践《在延安文艺座谈会上的讲话》所提出的文学的“提高”工作里，恩格斯说的“表现典型环境里的典型性格”的要求，仍是需要揭出的对写作的要求，不是以这样“高级”的文学作品的写作为主，但是要有这样“高级”的作品写作的努力；而跟为工农兵群众的普及文学作品的写作一样，也要以这类作品来“挤掉”一些流行于我们干部中的“高级的劳什子”——似是而非的歪曲工农兵或歪曲一切社会现实的东西。自然，也要以这个来给普及文学作品的写作示以努力的方向，学习如何在必要时来进一步同样真实的在艺术上处理工农，在更为复杂的场面里来表现工农兵的典型环境与典型人物。

《在延安文艺座谈会上的讲话》说：“在为工农兵与怎样为工农兵的基本方针问题解决之后，其他一切问题，例如立场问题，态度问题，对象问题，题材问题，写光明与写黑暗问题，团结还是不团结的问题，功利主义还是超功利主义的问题，狭隘功利主义还是远大功利主义的问题，便都一齐解决了。”文学写作与文学运动的方针问题，便是文学的工农兵方向底全部理论之基本问题。对于《在延安文艺座谈会上的讲话》底读后解释，便写到这里为止。

回顾过去，比较历史，明了现在，瞻望将来，我们的信心应该是百倍坚强的。让我们认真的将鲁迅、毛泽东的文学思想，将文学之工农兵方向的旗帜举得更高，更高，再更高吧！胜利是一定要到来的。

一九四八年一月到四月，初稿

附录：读《种谷记》

一

读完了柳青的《种谷记》，我意外的欢喜。不可否认的，这是一部比较成功的杰出的作品，是实践了文学工农兵方向的作品，而且，就艺术上说来，是目下实践这一方向作品中的最好成就。

《种谷记》，以抗战时期陕甘宁边区的大生产运动为背景，以清涧王家沟的集体种谷工作为线索，对“阴历三月中旬”到三月底——不出二十天时间中的事，作者用近二十万字的篇幅，极为丰满与极为生动的写出了那里农民们围绕在集体种谷这问题周围的活动和斗争。作者的注意力，显然主要不是在想给我们讲这一个简单的故事，而是在借这个故事给我们介绍初步的新民主主义社会建设里农村阶级力量的变化，给我们介绍农村中各农民阶层的人物及其复杂的斗争。作者以他深入的丰富的生活体验，纯熟的农民语言的掌握，细腻的、淋漓尽致的描写，胜利达到了这一目的。

作为一个新的现实主义的作家，应该写出客观事物的真实来，斗争不会是直线的、单调的，而是曲线的、复杂的，现实中的人物，没有一个是简单的，运动也不是一往直前都是胜利；至于作者呢？不是超然派，——也是现实的：把他自己的思想和情绪一起组织在斗争之中，组织在他的作品里面，跟着他们一起呼吸，一起体验着欢乐与痛苦。作为一个工农作家的这些起码条件，对于这部作品，已经是用不着解释了。《种谷记》的特色则超出这些之上，它以体验的深刻与技巧的优越突破了从文学来表现革命的农民及其生活和斗争的作品的一般水平，给《在延安文艺座谈会上的讲话》立下了一座实践的丰碑。

一开头，简单几笔，就把王家沟这个强烈地行动着的村子，耀眼的给我们一下子提出来：

晌午一过，受苦人放下饭碗，松一松腰带，不管变工的不变工的，吃上一两锅烟，都上地去了；婆姨们洗完家匙，有的到纺织组长那里去比赛，别的便在自己窑里坐下来纺线子。无论谁都似乎无牵无挂，一心一意做着自己的活。王家沟村里一片嗡嗡的纺车声，布架吱吱呀呀地叫唤，再加上小学校的学生娃们书嗓子高声念书，把一个偏僻的山村喧嚷得生气勃勃。但从外表看来却依然寂寞，耕了一上午地的毛驴吃过草料，筋疲力竭地在拴它的阳场子里丢吨，狗伸展了脖子和四条腿在暖烘烘的太阳底下睡觉，老母猪则率领着一群猪娃子在村道上漫游。此外，你在外面几乎见不到甚么人影：只有这村里的行政主任王克俭的老婆，每天一到这个时候，便在她窑里坐不稳了。

这样，跟着布置集体种谷的事件贯穿下来，从王克俭的家庭，介绍出思想落后的、政治上动摇的富裕中农王克俭；再就是这村子的中心人物，农会会长王加扶；

接着是小学教员，知识分子的赵德铭；再就是朝气蓬勃的小伙子维宝和福子；新中农“模范”王存起；仍处在贫农地位的大汉王加明；还有反动恶毒的经营地主王国雄。另外两个著名的老头：一个是还拖着满清辫子的绝对封建的人物，七十岁的王存恩；再一个是也六七十了，然而全身心却渗透了革命感情的六老汉。在作者的笔下，把这些人物都各各写得生动突出，各有各的面貌，各有各的性格。

如对维宝的介绍，才不多几行，便已经很生动：

……这维宝是王家沟激进派的代表人物，自从绥德训练回来以后，更是比以前突出，话也比以前多。他当自卫军排长，上山种地也结着皮带，扎着绑腿，背着他那一杆装了火药和石子的土枪。在他的领导之下，自卫军的王家沟基干班（全是二十上下的年轻人）都跟他学。这倒是无可非议的事，因为在这一带边境地区，从“白地”里混进来的特务和政治土匪是常有可能的；但他像脱离生产的干部和学生一样留起头来，却是毫无理由，毫无益处。他爸老是嘀咕他，嫌众人笑话，要他剃掉，他好像没有听见一样，不理那回事。嘀咕得他厌烦起来的时候，他返过来说："你那个旧筋脑就是要好好改造！""怎样改造？"他爸冒火了，"你看怎么改造法？啊？"于是这话便传为王家沟的笑柄了。（三四页）

再看看对"存恩老汉"的介绍，这样细腻和深刻，便是《种谷记》贯穿着的特点。

这王存恩是王家沟一个特出人物，和维宝们比较，仿佛他们活的年代之间前后错着好几百年。老汉的旧瓜皮帽下边还拖着一条老鼠尾巴一样又细又短的辫子，很显然给人们表明着他的气质。不仅在王家沟，便是周围三二十里以内，他都是有名气的人物，从未发过脾气，对甚么人都是一样的好心。他一辈子忌口，不知道腥荤和葱蒜的味道；已经七十来岁了，还是满口牙，被所有叹息咬不下的老人们羡慕着。老汉对于看“皇历”可以说够一个专家了，手上掐算得也不错；不过“善人”的称号却是因为他心好得来的，不管你丢了东西寻找，亲戚害病要去看望，打土窑破土下线，受了惊叫魂确定方向和步数，只要问到他，无不有求必应，立刻伸手给你掐算起来，因此他的“菩萨心肠”很使许多人感动。四福堂在“中央军”里当官的大财主王相臣是他老婆奶大的，他对他比对自己的亲生儿子王加祥还要关切，虽然奶儿恐怕早已忘了他的这个穷奶爹，但他却永远带着一种深厚的感情怀念着他，一听说有家信回来，他便到四福堂去看；信里没有一回问候到他和他的老婆，他也自动原谅了，因为他觉得人家在外公务繁忙。大凡这样的人，也许都对新社会没有好感的，存恩老汉却不然，他不像王国雄们一样，对一切都是随时随刻不满；因为他认为八路军既能混了现在这样大，毛泽东也必然是有点星宿的人，众人很了解他在许多会上提的意见，本心都不是恶意，或者说存心捣乱“工作”，因为这与他一贯为人的品行是相违的。他之所以在说话以前要征求一下同意，其原因，仅是因为近来很有几次他的意见受了大多数人的反对；特别是为了将神钟移到村里来打的事，他几乎生了全村的气。招喜他们甚至说，王加祥参加了会，老汉便不必来了，他可以在家里静静地养神修道，翻看他的“万年历”去。虽然如此，他还是由不得要来，来了便由不得要说话；他怕因他的沉默而铸成大错，很对不起全村的人，有碍于死后的发展前途。(一〇六——一〇八页)

作者的艺术手腕，是各方面都成熟的。不只在描写人物上，在写对话上也很成功。例如：

学校的一盏灯油熬干了，灯捻像油炸面条一样燃烧着自己。他们都仿佛传染似的打着呵欠，站起的站起，下炕的下炕，穿鞋的穿鞋。

福子下炕穿鞋的时候，他只找到一只，连忙向外叫道：

“啊呀！我的一只鞋先走了！”

“啊，错了，错了……”行政在院子里说，立刻返回来调换。

“你忙 × 哩？”福子粗鲁地打趣道，“胡子巴槎，天一黑就这么想老婆？”

“放屁！”行政换了鞋，要走时尴尬地骂道。

“克俭哥，”王加扶叫道，“这回可要像个行政啦！……”

“噢……”中窑里轻微地模棱两可地应了一声，走了。（五五——五六页）

细小的事情，轻轻抹上几笔，便使得他们活跃纸上，闻声见人，一并烘托出浓厚的气氛。

此外，写场面也很好，许多地方都出色，这里只举一次农民会议中的一小片：

……有两个人到前边来抢着要发言。一个是王存发老汉，另一个是王加均；老汉因为行动迟缓，他挤上来时，王加均已经占了先。

“唉！”王加均叹了口气，把烟锅插在腰带里；抢住了发言权，他又不知从何说起。

“你要说嘛，你就快说。”存发老汉催促他。

“我说，”王加均悔气地继续带着学生娃脱帽的礼节，手里捏着他从头上扯下来的手巾，“我等也等不得在全村老小们面前反一下省。新社会不兴打婆姨，我看还是非打不可！‘三天不打，上房揭瓦！’众位不要笑，我这回上了婆姨的大当，那狗×的硬要先种，妖精一样说：‘咱村里的事，你又不是不晓得，说分配点籽娃娃，到时候谁管你？’她说赶紧种了她要坐娘家去，又说下了雨种，她嫌湿土地里又要踏坏她一对鞋；脱成赤脚，她还没有那些女同志们胆大……”

“不要笑，不要笑，众人不要笑！”乡长

伸出两手制止着满院的笑声。(二六八页)

符合着我们传统的习惯,在《种谷记》里,单独描写风景的地方并不多;但很少的几处,同样也表现作者健强的笔力。如下面一段,就逼真的写出了西北高原令人恐怖的大黄风,——

> 暴风从伊克昭盟鄂尔多斯部的乌审旗一带越过了长城,顺着无定河滚了下来,又以飞快的速度向黄河岸沿推进了。风挟着长城内外的沙粒和牛、羊、骆驼的粪屑,把它所经过的空间完全填塞起来,使天地接连了,山头上来不及往回跑的受苦人睁不开眼睛。暴风呼叫着邪魔野鬼的调子,扫起地上的尘土,使边区明媚、爽朗、愉快的山野暂时间变得地狱一般黑暗。风扯着人的衣襟,摘着人的头巾,沙子射着人的眼睛。从村东南回家的被风阻挠着,直不起腰;从西北方回家的则被风吹送着,站都站不住。河沟里树枝摇曳着,似

乎要挣脱树干随风而去的样子；枝丫间，喜鹊辛辛苦苦筑起的巢，被风毫不费力地拆掉，那一根一根衔来的干枝枯草都纷飞去了。池塘里水面上盖了一层尘土，涟漪的河水和蓖麻油一样混沌。（二〇八页）

以上，就《种谷记》的艺术成就，——反映着作者生活体验的深刻，略述一二我的见解。但我以为《种谷记》的值得重视，还在以下的地方。

二

首先，《种谷记》是真实的**实践了《在延安文艺座谈会上的讲话》——文学之工农兵方向的作品**。

《在延安文艺座谈会上的讲话》——文学之工农兵方向的第一个基本要点是什么？这就是结束以小资产阶级革命知识分子的立场来写作，结束以小资产阶级革命知识分子冒充工农混入文学领域的时代；它尖锐而彻底的提出小资产阶级革命知识分子作家必须**进行自我改造**

的课题；[1]对作品的第一个基本要求，因而便是从工农兵那里出发写工农兵：反对从小资产阶级革命知识分子的观点出发的、对他们的歪曲，[2]反对用小资产阶级革命知识分子的“灵魂”来穿上工农兵的外衣，做这种偷天换日的工作。[3]因此，把《在延安文艺座谈会上的讲话》——文学之工农兵方向的基本问题，一般看做“大众化”的问题，是很不恰当的。没有小资产阶级革命知识分子的自我改造过程，就不可能有任何真正“大众化”的过程；要有，就像实际所表现的那样：其在作者，就

[1]《在延安文艺座谈会上的讲话》说：“为什么人的问题，是一个根本的问题，原则的问题。”“我们的文艺，第一是为工农兵。”“而我们现在……这些同志的屁股还是坐在小资产阶级方面，或者换句文雅的话说，他们的灵魂深处还是一个小资产阶级的王国。这样，为什么人的问题，他们就还是没有解决，或者没有明确地解决。”“但是，我们却必须解决它，必须明确地彻底地解决它。我们的文艺工作者一定要去完成这个任务，一定要把屁股移过来，一定要在深入工农兵、深入实际斗争的过程中，在学习马列主义和学习社会的过程中，逐渐地移过来，移到工农兵这方面来。**只有这样，我们才能有真正为工农兵的文艺。**”（重点是我加的。——雪）

[2]《在延安文艺座谈会上的讲话》说：“他们在某些方面也爱工农兵，也爱工农兵出身的干部，……但不爱他们的感情，不爱他们的姿态，……有时候也爱这些东西，那是为着猎奇，为着装饰自己的作品，甚至是为着追求其中落后的东西而爱的。”

[3] 同上说：“倘若描写，也是衣服是工农兵，而面孔却是小资产阶级。”

只能是工农兵的“客人”；其在作品，就只能是凡其所写，外表像工农兵，“灵魂”却是小资产阶级。在延安文艺界开座谈会以前，已经嚷了整整十三年的文学大众化，其所以除了抄袭“大众”的一些皮毛之外没有任何重要成就的原因，那根柢便在这里。

文学之工农兵方向彻底明确以来，还有些朋友们以为，它没有解决什么重要的新问题，而且使人产生了不少的忧虑，忧虑“五四”以来革命文学传统的坚持。于是，在强调坚持“五四”文学传统的紧张思想下，忽视了“五四”文学传统历史发展上的基本弱点，也忽视了这五年来在各解放区显示出来的、对文艺之工农兵方向的实践努力及其成就，或以简单的“农民文学”目之，或以为总要“提高”到现成的这个“五四”文学传统上来。其实，《在延安文艺座谈会上的讲话》以来为赵树理们所努力实践的文学，不是单纯的农民文学，因为这是代表了中国“五四”以来的革命文学在今天的主导方向，这里包含着一个文学发展方向的问题。因此，这也不是走向现有的“五四”文学传统之复原，而是从这传统向新的领域突进，是“五四”文学传统之新发展，解决我们过去久已要求解决而没有得到彻底解决的问题。一九三〇年“左联”成立，就是有意识、有组织地要将“五四”革命文学更推进一步，明确提出文学之为工农的方针。[1]但是十多年来，由于小资产阶级革命知识分子夸大狂的阻挠，一直停滞在“衣服是工农兵，面貌却是小资产阶级”的阶段上，成功的倒是许多革命知识分子的战斗作品。“五四”以来新文学的一个基本缺点依旧存在着，这就是还没有把自己的根种植在最肥沃的土壤里，没有和工农兵深相结合，使新文学真正为他们所有，与他们一同呼吸。特别没有深入到农民中去，为农民所有；这对我们过去的新文学，成为特殊严重的遗憾！自《阿Q正传》以后，由于出现与获得无产阶级的领导，我们的农民已多次掀起了翻天覆地的成功的及失败的斗争，但由于我们文学停滞在小资产阶级革命知识分子的地段上，我们的革命作家没有深切悟到自我改造的问题，因而没有可能真正深入工农，因而没有可能

[1] 鲁迅一九三〇年在左翼作家联盟成立大会上的演说中，明白提出大家的立场应该一致，“目的都在为工农大众”。此后“左联”在理论指导上，更不断的提出描写工农及其革命斗争的任务。

按照工农来写工农，因而二十多年来再没有继《阿Q正传》出现第二部同样伟大的作品！“为什么没有伟大作品产生？”十多年来我们曾经一次一次地提出，又一次一次地写了很多方案，但没有一个能够解决问题。《在延安文艺座谈会上的讲话》，既是首先从这里一针见血的提出问题，那就是解决了多年以来的悬案。这要点就是：区别开小资产阶级革命知识分子的立场和情调，在实际中转变（改造）；写出真实的工农兵的作品。对于我们坚守着“五四”文学传统的革命作家，这是一个新的课题，也确实是一个巨大的课题。[1]需要我们全身以赴，孳孳求进的。

所以，实践文学工农兵方向的基本标志，对作家（当然是指小资产阶级知识分子出身的作家）来说是改造小资产阶级性，对作品来说便是把工农放在客观基础上真实的加以处理。依据这真实性发挥到什么程度，来定作品成功到什么程度。在作品里处理工农的真实程度，

[1]《在延安文艺座谈会上的讲话》说：“这不光是讲初来延安不久的人，就是到过前方，在根据地、八路军、新四军做过几年工作的人，也是没有彻底的解决。彻底解决这个问题，非有十年八年的长时间不可。……”

同时也就反映了作者自己接近工农与改造自己小资产阶级性的程度，此二者是一致的。柳青的《种谷记》，在这点上是完成了任务的，他对于农民的理解，可以和赵树理并驾齐驱，而艺术上的成就，则在后者之上。他对农村中旧的人物写得很真实，很出色，对新的人物也一样写得很真实很出色。不只在人物上，在一切农民的活动以及整个农村生活上，都是写得真实动人的。不是生活的深入，且消除了自己和他们之间的隔离，决不能到这步境地。以下的例子可略见一斑——

王加扶木愣愣地站着，看见二拴用高粱秆从灶火里点出火来，照亮给他娘打扫屎。王加扶目睹着姨婆的这种狼狈情景，一时没有合适的话说，连他的聋老爸也感到这场面的不愉快。关于三拴的病根，婆姨和他已经争辩得互相都不愿再提了：她认为这毫无疑问是因为他最近接连好多天总是夜深才回来，跟着他混进甚么邪魔野鬼所致；而他则说她不注意，娃娃受了凉，或者吃东西吃坏了。自然他夫妻两口子是争辩不清楚的，王加扶无可奈何地叹了口气，说：

“谁家的娃娃不害病哩？我留在家里便好了？我又不是先生？……”

“唉！”婆姨悲悯地叹息着，她打扫完毕，失望地瞟了他一眼，把那个软瘪的奶头塞进三拴嘴里，止住了他无力的嚎叫。

她并不希望他治，因为他两人对病根看法不同，治法自然也难一致。她已经瞒着他治过了，只等着看一两天内能否见效：她瞅他上地去的空子，把存恩老汉请来，要他挥动他那龙把麻鞭来念逐鬼的咒语。存恩老汉怕人知道又受政府的批评，并且引起王加扶的不满，死也不来；只是农会的婆姨哀求再三，说他见死不救，还算甚么“善人”，他这才觉得于心不忍，畏首畏尾地来了。他到王加扶的小土窑里，匆匆忙忙做好一切准备，压低了嗓子念着法，也不敢大声喝鬼，麻鞭更不会像旧前似地打得放炮一般响，仓促了事，慌慌张张溜掉了；王加扶婆姨给他端出一升米酬谢，他怎么也不接手。

现在，婆姨希望王加扶的只是他不要再深夜开门，重复得病便好了，赌气是没有用的，她问他还要几夜“工作”才完，王加扶说只这一回。

“那你拿上三炷香去，”婆姨终于说，“记得回来时点着！”

王加扶没奈何地叹了口气照办了，才拖着他的沉重的鞋出了大门。（一〇六——一六一页）

王克俭这一天算倒了楣。他和楞子一天之内抢种了六垧谷，超过了任何变工队的速度。他们下山时累是累一点，但还满意自己一天的工作，他对楞子说照这样再过一天，他们便完成了计划，可以从从容容送外甥们回家了。他并且拿这点安慰毛虎和狗娃，轮番亲昵地抚摸着他们的头，企图巩固他们的情绪；他们在晌午以后一开始感到力不胜任的时候，便发觉自己是被愚弄了。回到家里，两个外甥全爬在他们娘肩膀上痛哭流涕，指着他们身上所有疼痛的地方；而王克俭自己又发现他已成了全村的公敌。他变成除过楞子媳妇以外全家攻击的对象，老婆更是猛烈，说他的消息把她都几乎吓坏，而实际却屁事没有，她甚至恶毒地说他是"白翅"，这种鸟一见有人走过它鸟巢附近，立刻惊惶失措，落到巢边不安地乱叫，结果总是它的蛋或小雏被人挖去，而其他保持镇静的金翅、百灵子和天公鸡（即云雀）的巢甚至在人的眼边，也从来不被发现。王克俭被说得守口如瓶，他已经无法懊悔，也没有理由懊悔了；因为他为这种谷的事反复懊悔的次数太多，现在更是悔之不及了。他像一个从山头上滚下去的人一样，既已滚脱，只好抱住头滚了，滚到沟底再看他倒楣的程度。（二六五页）

这些都是全面深入了农民的生活，并和他们成了一家人之后，才能写得出来的。即如表现在这里的作者那支势如游龙、诙谐自如的笔锋，其所以能有这样的魄力，写得这样淋漓尽致，也是这一生活深入的结果；对对象没有充分掌握，笔下便不能走动自然。所谓“游刃有余”，必然是作者对生活达到这种境地之后加上技巧的纯熟才能产生的。

既在生活体验上**近于**完全成熟（毛主席说的“移屁股”），又在艺术技巧上**近于**完全成熟，这就使得《种谷记》在五年来实践文学工农兵方向的所有作品中，获得很好的成就，使得《种谷记》突破近二十年来无产阶级直接领导的革命文学的这种写作水平——近二十年来描写农民作品的水平，得到接近理想的胜利。《种谷记》首先一个值得重视的理由便在这里。

自然，《种谷记》也还残留有显然是知识分子气的地方，这个连同其他的缺点，留待下面再谈。

三

《种谷记》其次一个令人满意的地方，是自始至终贯穿了**将群众作为作品里的第一位主人翁**，自始至终将他们——农民群众作**充分主动的**，积极活动着的人们来处理。

王家沟并没有和整个边区，以及全中国甚至世界失去联系，王家沟也是有充分上级领导的。但王家沟的人民自己是在积极的活动着。他们需要获得领导干部的适当帮助，但他们从头至尾是自己在生活、在工作、在斗争，自己在进行着自己阶级的翻身运动，进行着与敌对阶级的斗争。从自己的阶级利益，从自己们的观点，用自己的脑筋和计谋，主动积极地进行着这一切。当然，各有各的打算：落后分子及反动分子有自己时刻不忘的打算，积极的，革命的群众更一刻不息地实践着他们顽强而固执的意志，行动的意志。他们并不是坐等“晴天”；或者，对于自己们的处境是消极的：“看这样，你们（干部）给我们怎样解决吧！”甚至是观望的态度，“看上面怎么办？”这于是一切就决定于“干部”了：好干部是个好样子，坏干部就只能是个坏局面，马马虎虎的干部便是马马虎虎的情况；群众是**任随拨动**的。《种谷记》完全没有这样，这里也有强有力的领导人物出现，但是在群众需要他尽他的责任时找来的，一点也不本末倒置，喧宾夺主；而且，就对于这样“完善”的领导，群众对他的权衡和评判是与对他的高度信仰同在的；毋宁说，因群众对他已经有了权衡，他们方对他发生信仰。这就是说，他们的信仰与“听话”，也不是盲目的，奴隶式的做尾巴。这才是革命群众与他的领导者们关系的本质。且举个例：

> 王加扶斜了身子一看，让儿弟兄那边又在动颤：他想站起来，又被抓住了。存恭把他交给存谦看住，自己站起来用身子挡住他们，向前边说：
>
> “我们弟兄死心眼，行政早起一种，我们后晌才种，盘算他和我们一组，连句话都不漏就丢了我们！我们种是种了，可是还变工……”
>
> “算了，算了。”区长挥着手制止着他们的唠叨，越发肯定了他的认识（他并不认为这事背后有反革命的政治活动）。
>
> 这时几个积极分子心里感到区长的制止未免过早，失去了由众人的追问弄清楚究竟是否

有老 × 做鬼的机会。（二七六页）

群众不是任何的附属物，群众是绝对主动的存在。朋友们，这是完全正确的！比如：

> 几百年来的农奴制度的压迫和几十年来的改革时期之后的加速破产，（农民具有）累集如山的憎恨、怨毒和拼命的决心。因此要想扫除官办的教会、地主和地主的政府，消灭所有土地私有制的旧形式和旧制度，清除地面，建立起一种自由平等的小农的共同生活，来代替警察的阶级的政府，——这种愿望，正像一条红线贯穿了我们革命中的农民每一个历史步骤；
>
> 然而，……农民过去的全部生活教会了他们去憎恨老爷和官吏，但没有教会他们，并且也不能教会他们在什么地方能找到所有这些问题的答案。在我们的革命里面，小部分的农民真实地斗争过，甚至多少为了这个目的把自

己组织起来过;…… 大部分的农民则是哭泣着、祈祷着、痴谈着和梦想着，写请愿书和遣派请愿代表。(列宁:《托尔斯泰是俄国革命的一面镜子》)

这是十九世纪末的俄国农民，但是其中最“落后”的，也是在按着自己的思想方式企图用自己的方法去解决问题（写请愿书和派请愿代表），那怕是胡涂的企图，但他们总还是企图，并且行动。又如：

阿Q的耳朵里，本来早听到过革命党这一句话，今年又亲眼见过杀掉革命党。但他有一种不知从那里来的意见，以为革命便是造反，造反便是与他为难，所以一向是“深恶而痛绝之”的。殊不料这却使百里闻名的**举人老爷**有这样怕，**于是**他未免也有些“神往”了，况且**未庄的一群鸟男女**的慌张神情，也使阿Q更快意。

“革命也好罢，”阿Q想，**革这伙妈妈的**

> **的命，太可恶！太可恨！**……便是我，也要投降革命党了。(《阿Q正传》第七章——《鲁迅全集》第一卷，三九五——三九六页)(重点是我加的。——雪)

这是旧中国旧农村里的农民（雇农），鼎鼎大名的阿Q。但你看，就是阿Q，无论他政治蒙昧到什么程度，那怕是出于如何低度的自发的阶级本能（一见举人秀才们害怕，自己便转恶为好），也是在活动着他的头脑，有着他的打算。

总之，俄国旧时代的农民也好，中国旧时代的农民也好，他们都是**自己主动的**存在，有自己的行动和思想。何况我们现在处理着的是革命农民，是正参加和被组织在二十世纪型的、翻天覆地的斗争里的农民群众。看吧：

> 湖南农运，就湘中、湘南已发达各县来说，大约分为两个时期：去年(即一九二六年。——雪)一月至九月为第一时期，即组织时期。……十月至今年一月为第二时期，即革命时期。

农民有了组织，便行动起来。他们主要攻击的目标，为土豪劣绅，不法地主，旁及各种宗法思想制度，城里的贪官污吏，乡村的恶劣习惯。这个攻击的形势，简直是急风暴雨，顺之者存，逆之者灭。结果把几千年封建地主特权，打得个落花流水。他们的体面威风，扫地以尽。绅士权力既倒，农会便成了唯一的权力机关，真正办到了“一切权力归农会”。连两公婆扯皮的小事，都要到农民协会去解决。一切事情，农会的人不到场，便不能解决，农会的人在会场里放个屁也是灵的。农会在乡村简直独裁一切，真是“说得出，做得到”。外界的人只能说农会好，不能说农会坏。土豪劣绅不法地主，则完全停止了他们的发言权，没有人敢说半个不字。在农会威力之下，土豪劣绅们头等的跑到上海，二等的跑到汉口，三等的跑到长沙，四等跑到县城，五等以下土豪劣绅崽子，则在乡里向农会投降。“我出十块钱，请你们准我进农民协会！”小劣绅说。“嘻！

谁要你的臭钱！”农民的回答。……前清地方造了丁口册，有正册、另册二种，好人入正册，匪盗等坏人入另册。现在有些地方的农民便拿了吓那些从前反农会的人：“把他们入另册！”那些人怕入另册，便多方设法求入农会，一心想把他的名字上进那农会的册子才放心。农会往往严厉拒绝，所以他们总是悬心吊胆的过日子，摒在农会的门外，好像无家可归的样子，乡里话叫做“打零”！总之，四个月前被一般人看不起的所谓“农民会”，现在却变成顶荣耀的东西。从前拜倒在绅士下的人，现在都拜倒在农民权力之下。无论什么人，都承认去年十月以前与十月以后是两个世界。（毛泽东：《湖南农民运动考察报告》）

这还是二十六年前，大革命时代的湖南农民，然而其刷洗山河的气概，已是如此！

所以，何时何地，任何作品，我们应该把群众作主动的处理，再“落后”的群众，也是主动的，就如王克俭，这才是一个现实的人。把下层群众写上些奴才相：一站在“上面”的面前就失去或淡薄了自我存在的意识，那是早已过去了的旧时代作家底对于群众的无知。我们的作者决不应有所感染。

五年（一九四二——一九四七）来，在《在延安文艺座谈会上的讲话》的光耀下，我们出现了许多杰出的和富有声望的作品，这中间，以赵树理的成就为最多；他对于农民理解之深，无论形象上、思想上和政治上，现在都还居于最高的水平。但他的《李有才板话》，在**这一问题上**是掌握得不紧的；其他如李之华的《反翻把斗争》，王力的《晴天》，缪文渭的《生产互助》，在**这一问题上**都犯着或轻或重的错误（《生产互助》还有主题上——政策思想上的右的错误）。至于那些不如此知名的，在这问题上就犯得更严重、更带着普遍性！这是五年来描写新社会中农民翻身斗争的作品底一个带严重性的倾向之一。朋友们说：“然而这些都是事实！”是的，我知道确有这样的“事实”：干部被派下乡去“开辟工作”，有的甚至是“突击”，规定在一定时间内“完成任务”。于是在一些不好的现象中，有的是弄得牛头不对马嘴，有的是弄得“半生不熟”；于是在检查工作中，便有有能力的干部来纠正缺点，解决问题；……这都是事实，正因为有这样的“事实”，才有我们作品里的这些“反映”。但这是干部工作中的事实，而不是群众自己生活和斗争里的情况：这是从上面，从少数干部方面来看的；不是从下面，从群众自身来看的。我们可以有写工作经验的作品，写干部的作品，但这决不能拿来代替写农民群众的翻身运动——农村的阶级斗争，这中间是有极大区别的。在解除自身的剥削上他们怎么会旁观冷淡？怎么会被动？！他们“累积如山的憎恨怨毒”已有几千年的历史，他们的火一直在烧着，只是或则烧在心里，那地方很深，或则在适当条件下烧个漫山遍野罢了。旁观冷淡甚至“被动”的现象是有，而且不算少，但这是从干部（工作失败的干干）个人的观点，个人的接触面、个人的角度来看才会有的现象。从干部工作上的个人遭遇来说，这是他个人的“实际”，但却不是群众自身的“实际”，不过是群众所给予“他”的，是农民对于他们所不了解与不信任的干部之一种惯用的对待方法。[1]甚至从工作成功的干部底个人接触来说，比如《种谷记》中的程区长，农民们对他那制止的批判态度，他就不知道。他们活动斗争的全过程他又不能参加，来这一下，恰好又是很“痛快的”解决了问题，因此对他本人，完全可能形成一种“手到病除”的自我意识，对他，我们自不能说这意识就怎样的错，只是近视一点吧了。鲁迅说：“新主义宣传者是放火人么，也须别人有精神的燃料才会着火；是弹琴人么，别人的心上也须有弦索才会出声；是发声器么，别人也必须是发声器，才会共鸣。”放火人以为自己就是火的自身，弹琴人以为自己就是弦索，这不过是一种误会。而我们的作家，我们在企图**写出农民群众、写他们如何在进行**坚持的阶级斗争以解放自己的作家，却受这种“干部观点”的影响，于不知不觉中转移了自己的立场，也采取相同态度来表现群众，那就是错误，就隐蔽了群众的本来面目。

[1] 看看群众自己的经验谈吧，这是再可信也没有了。大连大粪队长白玉江说：“无论干什么事，你得看对老百姓有没有好处，老百姓乐意不乐意。对老百姓有好处，老百姓乐意，就准能干好；不通过大家，只是凭着你的脑子乱出主意，你干你的，老百姓站在旁边不关心，怎么也搞不到好处。”（方冰：《白玉江的光荣》）

“采访”些表面事象组织起来描画成章，这还不是现实主义；我们的现实主义，首先一点就是指导我们如何透过现象把握本质。这个，有时光凭肉眼便不能达到目的。自然，这又得回到上面的问题去：由于我们还没有实际的“移屁股”，根本没有**作为工农兵的一员深入工农兵**，当然就不可能深刻了解群众；甚至在其中曾经生活过的人，没有这个思想中的武装，也会看不见或忽略群众之主动积极的、活跃在运动中的姿态。

“作为工农兵的一员”去深入工农兵，便是理解这个问题的根本关键。所以，五年来在我们描写农民的作品中，其所以有相当大的部分犯强调农民的被动性——轻视农民的毛病，就是反映相当大部分的作者，还没有理会到首先的问题是“移屁股”，以及或则是还没有实际的移过屁股来，即还没有理会到及或则是没有解决《在延安文艺座谈会上的讲话》的首先一个基本问题：真正深入工农以改造自己小资产阶级性，在作品里解决“从工农兵出发来处理工农兵”。

某种人说：“你们老说无产阶级是天生的革命阶级，农民是现代中国最富有革命朝气与革命力量的阶级，但是你们却又废寝忘餐的日夜从事‘工农运动’，老要‘运动’他们‘起来’。这岂不矛盾吗？还不都是你们‘干部’在捣弄！”由此，一切庸俗的“思想家”便津津乐道，也到这里来“建立”他们的“理论”。其实，这论调是浅薄的，不值得俘虏任何人。因为第一，正由于工农是革命的阶级，历史的主人，所以才以它为“运动”的对象；而且这也是他们的需要。不然有什么运动头？试到大地主大资产阶级中去运动试试看，无论如何也运动不出一个来稍为赞助一下这个穷人翻身的事业。在历史上，早已有过实行者了，欧文他们就作过不少这种企图“与虎谋皮”的努力。第二，谁都很清楚，任何这类的运动，只有在适合群众需要，并为他们所理解的时候才能有结果，如不本来是他们自己想办的事，不是他们肯用他们的力量来办，任何“运动”都一事无成。就拿土地改革来说吧，如果不是群众力量的胜利，任何“恩赐”或干部包办都不能真正解决问题。而且第三，群众每天都在产生他们的先进分子，总要有他们的“运动家”的，中国很早很早就有过陈涉、吴广了。这些道理都是雪亮的摆着。**我们的作家，应**

该根据这个真正的“事实”，在我们所有的作品里，给这些论调以干脆实际的答复！

只有群众自己才能是运动的第一个主人翁，只有群众是社会一切运动中最积极的因素，没有他们便没有任何创造。干部——群众的领袖，应该是群众的启发者、领导者与组织者，这是不可少的，也是应该表现在作品里的；但他们也仅是群众的领导者与组织者而已。且这还要是那种“应运而生”的、群众真需要他们的领袖，不然会连这点作用也起不到。所以，农民运动中，是群众的力量起决定作用，不是干部个人的力量起决定作用；因而运动是以**群众自己为**主在活动，不是以几个干部为主在活动。我们面对着现代中国土地改革这样巨大课题与伟大规模的斗争，当来描写它的时候，把谋求翻身的主人、群众自身，表现为或多或少是被动的存在，无论在运动的那一阶段，无疑或多或少都犯下错误。

《种谷记》没有这个缺点，所以我以为是第二个大的成功。

四

《种谷记》的第三个成功，是**原则上正确的解决了语言问题**。

自《在延安文艺座谈会上的讲话》以来，由于“为什么人”的问题得到彻底解决，于我们写作实践中，在处理语言的问题上，提出了一个根本的问题；这问题，在愈把我们的写作活动更提高到艺术创造的领域来，则愈显得突出，愈觉得重要。问题是这样的：用知识分子的语言确实不能表现农民；但单纯依靠农民的原始性语言，又绝对不够用。这怎么好呢？

对于这个问题，我们中间存在着一种见解，这见解是从正确的前提出发的：“写人物的对话应当用口语，应当忠实于人物的身份，这现在是再没有谁另作主张了；惟独关于叙述的描写，即如何写景写人等等，却好像是作者自由驰骋的世界，他可以写灵魂，用所谓美丽的词藻，深刻的句子，全不管这些与他所描写的人物与事件是否相称以及有无关系。要创造工农兵文艺，这片世界有打扫一番的必要。”可是结论却是极力歌颂“作者在**任何叙述描写时都用群众（农民）的语言**”，认为“这一点特别重要”。根据这种见解，显然对问题是在作否定的答复：文学的语言应该严格的（即任何场合）限制在农民的现有语言范围里，不允许有任何的游离或偏差。从正确的前提引导出来的这种结论，是错误的结论；因为这是一种语言上的机械论，对文学写作活动上的创造作用是否定的，对文学写作活动上的提高努力是有害的。为什么说这是语言机械论的观点呢？由于第一，这里把群众——这个具体场合是指农民——，特别是把现代中国的革命农民，作固定的死板的看了，忽视了他们生活——语言的正在大量变化；第二，这里包含着这样一种论点，就是：写农民的作品，不能用任何非农民的语言。因此，这里无论是对群众——农民的看法，或是对文学与生活、文学的语言与生活的语言之相互关系的看法，都是机械论的，非辩证法的；因此，在生活的实际与写作的实际上，都犯了错误。**在生活的实际上**，群众——农民生活本身是变化着的，因而农民的语言也是变化着的，由于他们经常有新的、前所未见与前所未经的事物在接触，所以他们也在经常发展着、丰富着他们的语言，经常在添加新的语汇与新的语法。特别是我们现在所讨论所描写的对象是现在中国新社会里的农民，尤其如此。现在各解放区，大体四年以上的根据地，那里出来的新农民，连贫雇农在内，他们所吸收的新语汇、新语法之显著，之“现代化”，使非解放区的知识分子听起来，都有想象不到的地方。陕甘宁农村里的新农民，更不用说了。[1]这不只远远的超过《水浒传》里的农民语言，也超过了解放区以外的农民语言；这证明了农民在语言上的惊人接受力，真非任何“读书人”所能想象得到。我们如果不从发展的观点上经常注意研究与掌握他们在语言上的变化内容及其规律，那就是对于现实生活的落后，生活实践的落后。**在写作的实际上，**“文学的语言乃生活的语言之提炼与加工，以至反过来丰富与提高生活的语言”。这个道理，即文学语言不单纯是生活语言之再版，且对生活语言应起它能动的反作用；不止早已经过前人的肯定与文学史的证明，遂成经

[1] 吴满有能在万人大会上作流利生动的政治演说，他用的既不是从知识分子那里硬抄来的语言，也不全是他们原来的语言。一般老解放区的农村里，中农、贫农、雇农的活动分子，差不多都能在村民大会上作内容上切合要求的演说，既生动精彩，又能解决新发生的实际问题。

典，而且已成为文学理论上的常识。所以，我们作家在语言上的**合理的创造**，是完全允许和应该的。鲁迅已非常透彻的说过：

> 几个读书人在书房里商量出来的方案，固然大抵行不通；但一切都听其自然，却也不是好办法。现在在码头上，公共机关中，大学校里，确已有着一种好像普通话模样的东西，大家说话，既非“国语”，又不是京话，各各带有乡音乡调，却又不是方言，即使说的吃力，听的也吃力，然而总归说得出，听得懂。如果加以整理，帮它发达，也是大众语中的一支，说不定将来还简直是主力。我说要在方言里“加入新的去”，那“新的”的来源就在这地方。待到这一种出于自然，又加上人工的话一普遍，我们的大众语文就算大致统一了。
>
> 此后当然还要做。年深月久之后，语文更加一致，和“炼话”一样好，比“古典”还要活的东西，也渐渐的形成，文学就更加精彩

了。……

读书人常常看轻别人，以为较新较难的字句，自己能懂，大众却不能懂，所以为大众计，是必须彻底扫荡的；说话作文，越俗，就越好。这意见发展开来，他就要不自觉的成为新国粹派。……

他们（指工农大众）是要知识，要新的知识，要学习，能摄取的。当然，如果满口新语法，新名词，他们是什么也不懂；但逐渐的检必要的灌输进去，他们却会接受；那消化的力量，也许还赛过成见更多的读书人。初生的孩子，都是文盲，但到两岁，就懂许多话，能说许多话了，这在他，全都是新名词，新语法。他那里是从《马氏文通》或《辞源》里查来的呢？也没有教师给他解释，他是听过几回之后，从比较而明白意义的。大众的会摄取新词汇和语法，也就是这样子，他们会这样前进。（《门外文谈》——《鲁迅全集》第六卷，一〇五——一〇六、一〇九——一一〇页）

事实上，我们的作家，在将我们的作品水平，在艺术上提高，从而也是在内容上提高（范围的广大与表现之深入）时，如创造人物，刻画典型，精确表达思想，细腻的、带分析性的描写出事态的真相等等，农民原来的语言的确不够用，无论在语汇上或语法上。这是有道理的，特别对于解放区的农民，尤其如此，毫不值得奇怪。就拿俄罗斯做比方吧：当他们的农民跟我们的农民处在同样境地，即在无产阶级的领导下来从事本阶级翻身斗争的时候，他们已经有几十年（从一八六一年起）资本主义的发展，有几十年革命的民主主义者们“到民间去”——即到他们中去的活动，更有了近百年伟大的光辉的俄罗斯文学的影响。而我们呢？我们的农民是从长期的封建停滞，从自然经济的封锁与野蛮政治的封锁里一下暴露在现代革命思潮及其运动的面前，并组织在这个中间；他们手拿利刃屹立起来，但必须进行二十世纪式的中国型的革命斗争，即指导的是马克思主义的路线，接受着中国工人阶级的策略原则，进行极为曲折、复杂与忍耐的斗争。这斗争的曲折与忍耐程度，到有时不能不于相当长期内和地主讲“统一战线”，以取得农村的相安而共同一致去对付民族大敌。这就是说，其准备、教养的过程比俄国农民要短十倍，而其所担负的斗争任务，却比俄国农民要艰巨十倍。因而，大堆大堆的新东西迅速出现在他们的面前，要和他们发生关系，他们的思想就不能不急速地起着反映；而新事物跑进生活里来的是那样丰富与众多，多到有时甚至超过大部分地方的工人阶级（因为革命发展过程一直是从乡村到城市），你想，在他们要拿出适当的语言，来表达他们由于大量的新事物引起的新思想的时候，他们怎能不发生语言的困难，怎能不感到原来语言的不够用？[1]因为他们生活上的变化在这短短二十多年的期间内，实在是太剧烈了，不似过去世界的一般发展速度；按照过去的一般情况，农民阶级要从资产阶级那里走到无产阶级这里来，总是百年以上，有的国家甚至现在都还没有走到，俄罗斯还算快的哩，而历史也给他们准备了足足有五六十年的时间。像这样的情形，文学上自然更会感到他们

[1] 我们和农民说话时，常有这样的情况：他们要给我们解释某种他已经感到并且发生兴趣的东西，但是吃力地说不好。于是说话完了还再三声明："我说不上来，没说明白。"

原来语言的不敷分配了。所以，更非有不是在过去文学史的常态下的，用文学的手腕在群众语言上多多进行吸收、综合、加添的工作不可。

问题的关键是在于怎样来进行文学的语言加工工作：**在什么原则上**来加工，**沿着怎样的道路**来加工。根据《在延安文艺座谈会上的讲话》所解决的原则和精神，对于语言问题的解决要点，首先是反对拿小资产阶级知识分子的语言来写工农兵，这是牛头马嘴，一定做不好的；肯定工农兵的语言是写工农兵的唯一源泉，它号召深入到工农兵生活中去，了解与熟悉他们，也了解与学习他们的语言，拿来运用到作品中去。但其次，不反对吸收别的来源的语言，不反对新的添加，相反，还主张需要有新的添加；只是有一个要点，有一个原则，就是：必须沿着他们（工农兵）发展的路向来规定他们应该需要的，根据他们的欲求来满足他们企望着但未到达的目的。一切语言上的添加成分，都是出于为了更正确、更精密与更真实（深入）地表现他们的必要，也为了丰富他们来应付他们新的社会生活底要求。总之，**为了他们，必须添加；凡所添加，皆为他们**。如是而已。所以，“关于叙述的描写，即如何写景写人等等，都好像是作者自由驰骋的世界，……用所谓美丽的词藻，深刻的句子，全不管这些与他所描写的人物与事件是否相称以及有无关系”。当然是不对的；但是对话以外的描写，必须在农民现有的语言水平上有所添加，甚至对话本身，也可加以整理，帮它发达，给予提炼。

我们试看《在延安文艺座谈会上的讲话》是怎么说的——

> 普及也好，提高也好，……人民生活是一切加工形态的文学艺术的取之不尽、用之不竭的唯一的源泉。这是唯一的源泉，因为只能有这样的源泉，此外没有第二个源泉。……书本上的文艺作品；古代的与外国的文艺作品，……我们**必须批判**的吸取这些东西，作为我们的借鉴；……有这个借鉴与没有这个借鉴是不同的，这里有文野之分，粗细之分，高低之分，快慢之分，所以**我们决不可拒绝借鉴古人与外国人**，那怕是封建阶级与资产阶级的东

西也必须借鉴。(重点是我加的。——雪)

说的既是整个文学底普及与提高的问题，当然文学语言问题也包括在内了。可见这与上面所引鲁迅的见解，是完全一致的。

这就是语言问题。根据这五年来文学之工农兵方向的写作实践，这问题在我们作家思想里的解决与不解决，严重的关系着工农兵文学的发展。而根据这样来看，《种谷记》的成就在那里呢?

柳青的《种谷记》，在语言问题上是采取了原则上正确的态度。第一，他是从深入农民生活去达到掌握农民语言的目的，不是依靠“收集语汇”去运用语言的。由于生活第一，语言由生活而得，所以表现在《种谷记》里的语言运用，就是恰当和自然，一点没有生硬做作的痕迹；现在我们就是较为成功的作品，一部分也存在着这个毛病，那病根便在于语言主要由记录而得，没有必要的生活体验做基础。因而这类作品，当读它的时候，就觉得那些话不是从农民的嘴讲出来、从农民的生活里放射出来，而是给作者“组织起来”的。对语言是否有足够的掌握，不取决于语汇运用之字面的正确，而取决于是否用得精当，古人所谓“得其神髓”。要做到这一步，自非有足够的生活体验做基础不可；而已经做到这一步，那就略略几笔，便能妙语天成，酷似无比。根据上面的引用，便可证明本书已有近乎这样的本领。这里再引一段：

村干部拉谈的是：王家沟的又一次全村大团结。最明显的是行政也参加变工了，其余的更不用说。存起说那两个为一块沟滩地争吵的王加盛和铁箍也答起话来了，两家的婆姨又在一起纺线线，铁箍媳妇叫王加盛家：“嫂嫂。”王加盛家亲昵地说：“唔，你说嘛！”行政笑说婆姨们和娃娃们都是“狗脸亲家”，一会儿相咬得两嘴都是毛，一会儿又相好了，互相在身上乱嗅。说得众人全笑了。（一九八——一九九页）

《种谷记》第二个在语言问题上正确的地方，就是不避免尚是“非农民的”新语法和新语汇；而且，就在陕北地方语的运用上，也是凡与普通话内容一样读音相近的，直用普通话，合理的避免“录音语”，所以减少了很多的怪词儿；他不只不避免采用新语法，而且不避免采用尚有生命的古语汇，如“后悔莫及”（六三页）“张牙舞爪”（一六三页）“山珍海味”（一九九页）“排山倒海”（二〇八页）“冰冻三尺，绝非一日之功”（二四二页）之类。至于下面这些地方——

> 原来，行政听二楞说要他开会时拿去农户计划的存底，他吃过夜饭便点了灯在他保管公文字据的竖柜抽屉里寻找；他三翻四复，搜遍了两个抽屉，怎么也找不见。他着急了，声色俱厉地质问老婆；老婆自然觉得好笑，**因为竖柜的钥匙自来便是拴在行政的裤带上，他的裤子没有掉了的话，钥匙便不会落在别人手里了，何况他当这些年行政，老婆又不是不知道那是一村极机要的所在，**……（四三页）
>
> ……他们打开了狗，王加扶才跳下石堆。

“啊啊！”主家之一恍然大悟地说，“我当是谁？农会嘛！”

“快回家吃饭，我们正吃哩……”另一个一手拉住农会，一手还端一碗饭。

第三个则关切而严重地指出：农会夜间出来不带一个结实的行具，是一种不可重复的疏忽。他申言他们不能喂性善的狗，以免一再被他四叔（王国雄）那只“老虎”咬死；那黄狗简直咬得路断行人，胆怯者不敢走他四叔门前过，只得抄绕道；**至于旧社会讨吃的人，只要他对自己的安全比一碗剩饭看得更重要，他绝不愿去让他扯破自己的皮肉和不能再烂的衣衫，言下似乎成见颇深地说这怕也是他四叔喂恶狗的诸般原因之一**。（一六三页）（以上重点均是我加的。——雪）

我想，如果不是输入结构比较复杂的语法，是不能写得这样精致和周密的。

这就是《种谷记》第三个大的成功。

五

以上就是我所理解于《种谷记》的主要的成就，同时认为《种谷记》的这些成就，对于解放区文学五年来的实践，有着怎样的意义和价值。[1]

现在，我来说一说《种谷记》的缺点。

《种谷记》的首先一个缺点，是没有写出党的作用，没有写出作为农村活动核心的农村支部底作用。虽然王家沟有党的组织，据作者说王加扶就是支部书记，但在作者的笔下，王加扶的这个身份一点也不明确。王国雄曾经说过有“暗部”和“秘密会”，但当时王克俭就给予消解了（一三七页）；而在另一地方，作者还直接解

[1] 当然，对于五年来我们在工农兵文学方向下的实践，我只是在与柳青这部作品有关联的地方，略为提及我所感到的和我底意见，但绝不是我对五年来文学写作实践的全面意见。五年来的成绩，无论作家或作品都是很大的，由于受地区限制，我能读到的还不算完全。但就读到的看来，五年来的实践，已把工农兵文学形成为运动，成为一支朝气蓬勃的生力军，给中国新文学安置了一个坚实的基础，造成继续发展的前提。而除此以外，也还有一些问题未涉及，如主题掌握、接受遗产、创造形式等等。现在手头缺书，将来有条件时，将正式写出我的意见。

释了王国雄之所谓的“暗部”，即集体种谷运动里的那些积极拥护者（一四一页）。从上级的领导来说，政权的作用是充分写出来了，并屡屡提出；但党的领导作用却很缺乏交代，所以就模胡。当然，在实际上，政权与党分不开，政权本身就是党在领导，群众也极明白；可是，现实的事实不等于作品的事实，作品里应该将这问题作直接明白的处理。凡是农民翻身的斗争，党的影响与作用是渗透在具体工作中的，这是真实，我们应该反映这一真实。

《种谷记》的第二个缺点，是农民的阶级面貌还处理得有些模胡，及作者在这一问题上的思想认识不够。在王家沟，由本书里所写的来看，似乎佃贫农比较多，除了王加明，几乎全体都是，因此在减租减息时期，一般贫农的生活问题都解决差不多了，大体都上升到中农或接近中农的地位。“模范”是明写了的，“已经迅速向中农发展了”（二二页）；王加扶也在准备用买地的力量来打窑洞，给儿子讨老婆；福子、维宝均不见有生活上的困难。这是一个问题。如果王家沟的情形不完全是这样，大多数的贫农未得到翻身（当时解放区的一般情况是这样），那这一问题应该交代出来，不应马虎过去。这是一。其次，作者写出了王加明（“大漠”）的贫农地位及其正常的情绪（常常因经济地位困难表示消极），这是对的，但作者却没有从严格的阶级观点来给予肯定，反再三给以否定的处理（八九页——王加扶；九一、一〇六页——模范；九二页——王加盛……），这是错误的。在减租减息的政策下，由于主要是在解决、而且是有限度的解决佃农（因此主要得益的便是佃中农）的问题，对于贫、雇农，在当时的条件下，不可能提到主要的地位来照顾（这在当时是对的），因而贫雇农的要求一直基本上没有得到满足，所以必然有消极甚至不满情绪的表露。对于这个，我们的作家，应该给予**适当的肯定**。最受剥削者要求更彻底的政策以解除其剥削，这在原则上不能说错，至于革命策略上的一时不能满足，是策略上的问题，这要分别清楚。减租减息政策，在当时是正确的，因为它于相当程度内解决了农村中一大部分农民的问题，所以既发动了农民，又适应了抗日民族统一战线；但也有它的弱点，虽是在当时是处在次要的地位；这就是不能满足农民中最痛苦、最受压迫与剥削的阶层——贫雇农的要求。雇农虽在阶级地位上说是农村中的无产阶级，但由于农村资本主义的异常薄弱，我国雇农普遍的都有土地要求。《论联合政府》说，减租减息政策是让了一大步。这是事实，要这样处理，这让步才有实际的下落。第三，雇农在《种谷记》里简直没有处理，张二、赵大、王三，在这里面都是“额外”的人物，这也不能不是一个缺点，雇农的阶级面目完全模胡了。最后，王国雄是经营地主，不能当作富农，政治上更不是当时富农的代表；王克俭政治上的两面性，以及相当的“顽固”，主要是由于他政治成分的不同，也不能作为一般富裕中农在减租减息政策下的代表人物看。这是说，作为表现当时农村的全盘阶级关系看，《种谷记》还缺少刻画几个农民阶层的代表。

《种谷记》的第三个缺点，是尚留有知识分子气的残余。这在语言上的表现，是尚有一些不必要那样“文绉绉”的欧化语法和古语。例如：

停一会又**“唉”地**叹一口气。（三页）

都显得**严竣而有理**，似乎表示无可非议。

（一六四页）

都默默地**专心致志吃饭**。（一六七页）

王加扶最后声明她的顽固要对三拴**病势可能的严重后果**负完全责任。（一九五页）

工头**则专负检查谁种得不合格之责**。（二八四页）（重点均是我加的。——雪）

在描写人物上，则还有三处可疑的地方。（虽然是三处，我想还是提出来吧。）第一个地方，是王加扶挺冲动的、说得口出白沫的那大段组织王家沟社会主义生活的“计划”。（二〇四——二〇五页）这个场面，显然是作者有意加上去的，而且勉强的（与前后不调和）放在王加扶的身上。因为从通篇来看，王加扶是王家沟最实际的一个革命农民，他对农民自私性的了解是最深刻的，他时时苦恼着这个（一五九页），并警惕旁人不要过分乐观（五一——五二页，对赵铭德；二一五页，对模范）；他每天在受着他“落后”老婆的刺激；在那个时候，他的周围没有一点使他突然做这“热情而正经”的理想计划之气氛。作者不把这放在维宝或教员身上，反用教员来“克服”他“过早的陶醉”（二〇五页），这处理更不适合，而使人感到作者给王加扶加上了点知识分子气。同时，在没有经过土地革命的、减租减息的王家沟，作者有意的来渲染这种“乐观”思想，（在二九九页，纠正他的赵德铭复又自己纠正了。）客观上也是在歌颂一种右的情绪。纵是个别人的实有，作者也应该加以审慎的处理。

第二个地方是——

> 模范常常奇怪：他们的**脑筋似乎有种特别的构造**，怪话、逗笑的话用不着寻思，自自然然从他们嘴里倾流出来，而正经的道理，你打破头盖，也无法填进他们脑里。（九六页）（重点是我加的。——雪）

我以为“模范”的这种思想方式，也是知识分子式的；农民的思想，尚未必有这样的形式。他们对同样的问题有感觉和认识，但不是这样表达。试拿另一个地方写王加扶对同类事实的思索方式作比，我以为是更真实的。如下：

> 王加扶奇怪人真是千般百种，维实是这样，而福子又是那样。干部里边尚且如此，群众中更是多种多样了。（一五九页）

最后一个地方，则在作者对“模范”夫妇爱情的描写——

> 只有存起的心情有些特别，他又像兴奋，又像不安：弄来弄去，行政终于落到他头上来了。他走着，感到重大责任压在他身上的分量，情绪和平时完全不同了。回到家里，他点着灯，带着一种颇为忧虑的调子，站在脚地把这件事情告诉他的已经睡了一觉醒来的婆姨。婆姨从被窝里抽出一只白嫩圆胖的手，似正经又似打趣地用食指压了压他的鼻尖，说：
>
> “我看你不好好识字怎么办工作？人说你，你还强——慢慢，慢慢……”存起给她说得

怪不好受，两个肘子支着炕边，在婆姨枕头跟前的炕栏上爬倒身子，歪转脸对她说：

“我要好好识，上回在桃镇买的纸不是还有两张，你明儿给我另缀个本本，叫赵同志把咱村里的户长名都写上，我先识会。你要帮我些啊！”

他这娃娃似的天真使婆姨笑了，两手把他头搬倒，使他的被日头晒得粗硬的脸蛋碰着她的纤细的嘴唇。好像要把这一吻永远贴在他脸蛋上一样，好久，好久，她才放开他；被幸福迷惑着，柔情地低声呻吟着：

“睡吧……”（二八五——二八六页）

这我想用不着分析了，一望而知是“知识分子式”的。

《种谷记》的缺点，我看便是这样。

《种谷记》虽然有这些缺点，但由于上述的成功，这部作品仍是成功的好作品，是能代表工农兵文学方向的优秀作品之一，而且在现时来说，还是艺术上完成得最好的。作者将回到王家沟去继续写种谷以后的群众斗争，这里边的人物，跟着运动的新进展，也将会有新的发展和变化，我们预祝作者更进一步的胜利：不仅正确的刻画出了人物的面貌和思想，而且，更强有力地突入他们精神的深处，在他们思想之更深的地方，斗争更尖锐的地方来写出他们。同时，也期待着所有写新社会的作家们努力并进，获得众多的成功！

一九四七年十一月廿五日脱稿

书　后

利用这样一个偶然闲空的机会，化去四整月，这小册子终于在基本上完成了。

（只说“基本上”，就是因为原来拟定的计划，还有四、五两章：论写作方法和论文学批评。但一来以时间再不允许，二来对于这两个问题，我所得的实践材料也还不太充分，所以临时省去。）

系统地来解释《在延安文艺座谈会上的讲话》、毛泽东伟大思想之同样光辉的这个部分，——运用于文学领域的部分，对我来说，只能是一个尝试。这只是我个人在文学领域里来学习理解毛泽东思想的一个初步努力。错误和欠恰当的地方，均希望得到大家的指正；本人自然也将继续努力，再求进步。为了文学的鲁迅、毛泽东思想之真实贯彻，也即为了中国新文学工作的建设，对于我和大家，这都是必要的。

所遗憾的，就是仅这三章，特别是最后一章，也还是仓促草就，应该接触的问题有的还没有作充分的深入，一些已经提出的论点，也还嫌没有充分发挥；更因为时间关系，后两章没有如第一章征求附近朋友们的意见，得到必要的修正。自然有可以自解的地方：我们既然在这样经受着革命的大激动与大骚扰的时期，特别是文学工作，不能不求做好，也不可过于强求做得精致；因为要求如果超过一定的、环境所能许可的条件，常常会连可以有的那一点也跑掉了的，反白把功夫空用过去。不过也说明：我的这个，不只是一粒萤火，“倘若有了炬火，出了太阳”，“自然心悦诚服的消失”（鲁迅）；并且还很粗糙，应该今后可能时再求加工的。

第一章有两处地方，本该改写，但因已经成版，改动不便，现在写在这里，作为增补：

（一）二九页[1]论述到抗战头五年文学运动的“中心领导思想”时，曾指出当时的文学中心领导思想，是

[1] 本书为 33 页。——编者注

退守的；在例证中，并引了巴人的“抗日的现实主义”主张。巴人当时发表的文章题为《两个口号》，发表于《文艺阵地》四卷七期（一九四〇年二月，香港出版）。其要点是：

> “抗日的现实主义”与“革命的浪漫主义”这两句话，我以为那是指出了中国目前文艺的发展过程和它的趋向。……
>
> 这怎么说呢？在中国民族解放的发展过程说，那路子是——从“抗日的”到“革命的”。
>
> ……我们必须以“抗日的现实主义”的观点来颂扬；然而更须以“革命的浪漫主义”的观点来批评。这也就是说，把抗日的题材，贯彻以革命的观点。
>
> 因为抗日战争的目的，是殖民地革命任务的完成，然而更推得远一点谈，在革命不断的发展过程中，将必然地会走上社会主义创造的前途，则中国的文艺也将必然构成黑格尔的三段法：

一，抗日的现实主义

二，革命的浪漫主义

三，社会主义的现实主义

这样的文艺发展的路线，将不会是人造的幻影，而是历史的指示。

这是明白的：第一，在出发点上，把“抗日”（民族革命）与“革命”（民主革命）分成两个“发展过程”，与实现社会主义并立，成为三个阶段；第二，从而把“抗日的实现主义”与“革命的浪漫主义”也分成两个文学的“发展过程”，也与“社会主义的现实主义”并立为“黑格尔的三段法”。据他自己解释，“抗日的现实主义”是“颂扬”的而“革命的浪漫主义”是“批评”的。那么，第三，虽也说“把抗日的题材，贯彻以革命的观点”，但基本认识既是如上的三段法，所以“贯彻”云云也不是第一阶段（抗日）里的事，抗日阶段是适宜有“颂扬”文学（歌颂光明）而不适宜有“批评”文学（表现抗战的两条路线的斗争及暴露大地主大资产阶级的妥协投机之现实）。这样的文学理论，当然不是传统的革命新文学立场的坚持（更不用说发扬），而且是一种思想上的后退，是当时政治上的投降主义思想在文学上的反映。（我当时写有《论三民主义的现实主义》一文，现载《过去集》。）

（二）本书第一章在《学习生活》发表之后，有读者认为第六注文（三六页）[1]只指出页码是不够的，因为胡风的《论民族形式问题》一书，解放区的人们很不容易看到，因此就不知道这内容究竟是什么一回事，何以见得“论争双方都大体一致”呢？这问题不明白，对这一段历史的此处见解便不能不有所怀疑。这是对的。现在就按着“注六”所指出的，把胡风的论述扼要地转录在这里：

> 从这一理论底首创者（向林冰）底意见里面，我们可以概括出这样一个公式：
>
> 新质发生于旧质的胎内，通过了旧质的自己否定过程而成为独立的存在。因此，民族形式的创造，便不能是中国文艺运动史

[1] 本书为38页注释[1]。——编者注

的“外砾”的范畴，而应该以先行存在的文艺形式的自己否定为地盘。(《论民族形式的中心源泉》)

新的民族形式的创造，不以民间形式的批判的运用为起点，不从旧形式的内的自己否定中来发现新形式的萌芽，这完全是纯主观性的腾云驾雾的文艺发展中的空想主义路线……。(《民间形式的运用与民族形式的创造》)

将以大众为主体的抗战建国新内容与民间文艺的旧形式相结合，通过批判的运用过程而引出的，不是内容的被歪曲被桎梏，而是形式的被扬弃被改造。并且，民间形式，在其与封建内容相结合（如过去中国民间文艺）、或与帝国主义思想结合（如目前日寇在游击区的通俗宣传品）的场合，才是反动的；如果和革命的思想结合起来，则是有力的革命武器。由此，我们便看见了由低级形态向高级形态转化的具体路径，及前者与后者的关联性。这就是说，民间形式的批判的运用，是创造民族形式的起点；而民族形式的完成，则是运用民间形式的归宿。换言之，现实主义者应该在民间形式中发现民族形式的中心源泉。（《论民族形式的中心源泉》）

这是辩证法底一般法则在特殊领域的文艺发展过程上的应用，也就是“从一个旧有的形式构造之规律性推进到另一种新的形式构造的规律性去的路线”（王冰洋）。

这一方法论上的根据（《新质发生于旧质的胎内》），反对论者里面不但没有谁从原则上提出过反对，有的（胡绳、潘梓年、黄芝冈、葛一虹、以群、罗荪等）甚至还明确地表示了同意，说“这些理论根据都是没有问题的”（胡绳）。

然而，我们首先就不得不看一看这个“路线”，“这些理论根据”是不是没有问题。先借用一段说明罢：

表现现实的新的风格、新的方法虽然

总是和以前的诸形式相联系着，但是它决**不是由于艺术形式本身固有的辩证法而发生的**。每一种新的风格底发生都有社会的历史的必然性，是**从生活里面出来**的，它是社会发展底必然的产物。（G·卢卡契：《叙述与描写》。重点是引用者加的。）

这就使“新质发生于旧质的胎内”的形式论遇着了鲜明的对立。和“从旧形式的内的自己否定中来发现新形式的萌芽”或“从一个旧有的形式构造之规律性推进到另一种新的形式构造的规律性”相反，却主张了新的文艺现象是“从生活里面出来”：“决不是由于艺术形式本身固有的辩证法而发生的”。……

不懂或者拒绝了文艺发展底这一法则，在对于“五四”革命文艺传统的理解上就不得不陷入了不可收拾的混乱里面。

今日所谓旧形式与“五四”时代的所谓旧形式，并非同一物，当“五四”文学革命时候所否定的旧形式，是《文选妖孽》、《桐城谬种》，其作为新形式而提倡者，如《水浒传》、《西游记》、《红楼梦》、《儒林外史》、《三国演义》等章回小说以及作为民俗学、语言学、历史学资料而搜集的，如歌谣、谚语、土腔小调、民间传说等，正是今日“旧瓶装新酒”的通俗读物创作上所要应用的“旧形式”。某些文学者常说：中国的文学革命，早已否定了旧形式，至今又主张旧形式的运用，是为开倒车的反动勾当云云，显然是粗陋的皮相观察。……（向林冰：《旧形式的新评价》）

这是当然的。既然“新质发生于旧质的胎内”，就不能不对于“新质”的“胎”，努力地追求，不能不作出“‘五四’的否定传统旧形式，正是肯定民间旧形式”（周扬）的结论。然而，好像理论家自己也感觉到了这不能说明‘五四’革命文艺在实践上所获得的内容，于是只好一方面把这作为“‘五四’时代的文艺史观”，加以积极的评价，说这是“‘五四’本格的立场”（向林冰语），说“尤其是当时的文学史观——民间文学为文学正宗的见解，给我们提出一个正确的指示”（方白），一方面从“大学教授银行经理舞女政客以及其他小布尔的”（黄绳、向林冰）和“半殖民地的移植形式”（方白）这见解前进一点点，引用了上面引用过的蒲列哈诺夫底说明以后，说“中国新兴文艺在欧洲文艺影响底下而发展起来，是以中西社会状态相类似为基础而生的必然过程，在某种意味上，正形成了中国文艺发展中有机的一环”（向林冰:《大众化内容与通俗化形式》），说“那些作品尽了启蒙的作用，在我们这个半殖民地底知识分子群中培植了先锋队伍”（方白）。

这样地，既找着了“新质发生于旧质的胎内”的“本格的立场”，又在“某种意味上”对于这“本格的立场”容纳不下的“移植形式”表示了一点儿肯定，说它“正形成了中国文艺发展中有机的一环”。这是什么？不是理论的图画和现实内容中间所存在的矛盾底反映，就是为了固守这一图式而向反对者们布下的一个防御底伪装据点。

而反对者们，也果然在“新质发生于旧质的胎内”这个黑影前面感到了慌乱，甚至还把这个只说是表现在“文艺史观”上的“本格的立场”塞进了“五四”新文艺底实际发展过程里面。

> 中国新文艺，事实上也可以说是中国旧有的两种形式——民间形式与士大夫形式——的综合统一，从民间形式取其通俗性，从士大夫形式取其艺术性，而益之以外来的因素，又成为旧有形式与外来的综合统一。（郭沫若：《民族形式商兑》）

郭沫若先生没有提出实际的说明，但并不是不能在别的论者底意见里面找出部分地和这意见相呼应的实际的说明：

> 我认为“五四”运动以来的新文学是旧文学的正当的发展。虽然，由于中国旧文学

> 的落后性，由于旧文学的形式有的被利用了千多年，有的被利用了几百年，大部分无法再利用下去，因此大量地接受欧洲文学底影响，它并不是斩钉截铁地和旧文学毫无血统关系的承继者。很明显地，初期的白话诗保留着浓厚的旧诗词的影响（如胡适、俞平伯、刘大白等的诗集），有些小说也没有脱离旧小说的窠臼（如杨振声的“玉君”）。后来才在形式上更欧化而在内容上更现代化，更中国化。这是一种进步。（何其芳:《论文学上的民族形式》）

但到了另一论者的笔下，就更具体地化成了“把章回小说改造成了更自由更经济的现代小说体裁，从旧白话诗词蜕化出了自由诗”（周扬:《对旧形式利用在文学上的一个看法》）。再经一个转手，论点就更加勇敢了：

> “五四”新文学运动的初期，不但新诗还保留着旧形式的规律性，而小说如“五四”初期的作者杨振声、汪敬熙、俞平伯、叶绍

钧等，都还或多或少保存着旧小说的写法与情调。但是愈到后来，接受外来影响愈大，因此也就逐渐地割断了仅仅保留着的一点痕迹了。（罗荪:《谈文学的民族形式》）

在何其芳先生，还认为“后来才在形式上更欧化而在内容上更现代化、更中国化”是“一种进步”，但到了罗荪先生，就勇敢地谴责“五四”新文艺“无条件地（？——胡风）割断了历史的优秀传统，割断了和人民大众的联系”，不胜惋惜慨叹之至了。至于其他的追随者（田仲济、光未然、陈鹏啸等）底意见，我想在这里都可以得到提要。……

……被“新质发生于旧质的胎内”拦住了路，“不把新形式的创造从旧形式简单地裁开”（陈伯达），要使它“和自己民族的文艺传统衔接起来”（光未然），就必然地一方面引出了说它是传统文艺的发展的，阉割了它底革命性的见解（何其芳、周扬、罗荪、郭沫若等），一方面引出了说它是“外砾”的“半殖民地的移植形式”，取消了它底公民权的见解（向林冰、方白等）。用对于鲁迅的评价为例罢。依前一见解，鲁迅底存在就远在杨振声俞平伯等之下，在“五四”新文艺里面不能成为主导的力量，至多也不过被光未然先生找出了《阿Q正传》底“开篇法”（鲁迅自己后来所不满意的一段游戏文字）颇合乎“民族形式”罢了；依后一见解，鲁迅底伟大影响就没有什么必然的基础，成了一个“历史的错误”，虽然向林冰先生也许因为他“天才地肯定了”旧形式底利用，允许将功折过地把他底全部文艺战绩都划到这一笔账上。或者像陈伯达先生似地，从“特别是鲁迅底《呐喊》”里面，看出了“以我民族文艺家底聪明才力，是能够去创作出世界水准的作品来的”（《关于文艺的民族形式问题杂记》），完全放弃了科学的说明。……

反帝反封建的现实主义的文艺，经过了二十年的发展，这发展都是通过文艺运动底大事变、大斗争（包含了对于新文艺自己阵营内的落伍或倒退现象的斗争)而达到的。创作、理论、大众化运动，这三个侧面底发展底**内的关联**，就形成了我们今天所说的“革命文艺传统”。显然地，在今天的情势下面，我们底任务是争取这一传统底高度的发展，而不是它底否定。不承认这一点，那就无论用了什么迂回曲折的说法，也不会“实在一点也没有抹杀‘五四’以来新文艺的革命传统”(向林冰)，势非达到“这非民族的形式已成为文艺发展的桎梏”(黄绳)这一歪曲的结论不止了。(胡风:《论民族形式问题》，“七月文丛”本，二一——二三、三三——三六、四二、四三、四四页)

(三)《在延安文艺座谈会上的讲话》，在“如何为法”——论“普及与提高”问题的一节里所提的“提高”，是有两个内容的。它所说的：普及者总要高于被普及者、不能是“半斤八两”、不能老是一样的《小放牛》的“提高”，是指“普及”工作本身的“提高”，就是说，“普及”工作的做法，应该是站在工农兵群众的前面，并跟着工农兵群众的发展而发展，不能老停留在一个地方；不过，这“普及”本身的“提高”是要跟着工农兵群众的“现有文化水平”走的，要始终都能易为广大工农兵群众所理解与接受。这是第一个内容说的“提高”，其实论的是“普及”问题。此外，才是与“普及”有区别的“提高”，这“提高”，在目前首先是以干部为对象，而为广大工农兵群众暂时还难于理解与接受的。这是第二个内容说的“提高”，才是论的“提高”问题，“普及与提高”总题中的“提高”问题。在研究《在延安文艺座谈会上的讲话》时，这一点，在概念上是要弄清楚的。虽然细心的读者不待说会清楚，但这里再提一提，想也必要吧。

本书能脱稿付印，得到文专同学和朋友们的帮助很多：或为我记录，或给我校阅，或帮助我解决出版上的困难。足证便是这样一小本粗糙的东西，成功也不容易。谨在此表示我衷心的感激，和对他们的敬意！

一九四八年五月十三日晨，雪苇校后记

三联经典文库第二辑简目

《游击战教程》　明凡 / 著

《游击战术纲要》　陶剑青 / 编著

《汪精卫卖国的理论与实践》　钱俊瑞 / 著

《抗战以来》　韬奋 / 著

《陕行纪实》　楚云 / 著

《随军散记》　沙汀 / 著

《被日寇囚系半载记》　王研石 / 著

《倭营历险记》　房沧浪 / 著

《活跃的新西北》　田影 / 编著

《保卫华北的游击战》　刘清扬　陈北鸥等 / 著

《徐州突围》　《徐州突围》编委会 / 编

《沦亡的平津》　长江　小方等 / 著

《淞沪火线上》　胡兰畦等 / 著

《瞻回东战场》　长江　罗平 / 著

《东线的撤退》　胡兰畦等 / 著

《抗战中的西北》　徐盈 / 著

《鲁闽风云》　徐盈等 / 著

《西线生活》　西北战地服务团集体创作

《中国解放区见闻》　［美］福尔曼著 / 朱进译
《全面抗战论》　潘汉年 / 著
《日本的间谍》　范士白自述 / 尊闻译
《日本大陆政策的真面目》　国难资料编辑社 / 编
《民众动员论》　李公朴 / 著
《中国外交史》　钱亦石 / 编著
《太平洋军事地理》　蒋震华 / 著
《世界经济地理讲话》　思慕 / 著
《列强军力论》　［德］马克斯 · 威纳尔著 / 宾符　仲持　梅益等译
《近代国际关系史》　张铁生 / 著
《太平洋现势手册》　沈志远　石啸冲 / 编著
《近代世界政治史》　钱亦石 / 著
《从战争到和平——一九四五年的世界政治》　乔木 / 著
《战后日本问题》　思慕 / 著
《最近一年间的国际动态（1946.7–1947.6）》　《东北日报》社 / 编
《论政党》　翟放 / 著
《法与宪法》　韩幽桐 / 编著
《中华民国宪法刍议》　罗家衡 / 著
《民主 · 宪法 · 人权——作之民》　费孝通 / 著
《宪法论初步》　潘念之 / 著
《对反民主的抗争》　韬奋 / 著
《农村改进的理论与实际》　江恒源 / 著

《上海产业与上海职工》（上下）　朱邦兴　胡林阁　徐声 / 合编

《陶行知教育论文选辑》　陶行知著 / 方与严编

《中国通货膨胀论》　杨培新 / 著

《中国及其未完成的革命》　H·普拉特著 / 蒋天佐译

《中国的建设问题与人的训练》　卢作孚 / 著

《论中国特殊性及其他》　艾思奇 / 著

《中国经济问题讲话》　钱俊瑞　徐雪寒　王渔邨　姜君辰　骆耕漠 / 合著

《中国经济的道路》　许涤新 / 著

《中国财政之病态及其批判》　孙怀仁 / 著

《官僚资本论》　许涤新 / 著

《五四运动之史的评价》　陈端志 / 著

《中国通史简编》（上下）　中国历史研究会　范文澜 / 主编

《论文学的工农兵方向——读〈在延安文艺座谈会上的讲话〉》　雪苇 / 著

《中国近代史（上编　第一分册）》　武波 / 编著

《文学百题》　傅东华 / 编

《中国史学之进化》　周谷城 / 著

《论民族形式问题》　胡风 / 著

《论批评》　荃麟等 / 著

《中国史纲》（第一卷上下、第二卷上下）　翦伯赞 / 著

《近代中国思想学说史》（1–4）　侯外庐 / 著

《中国政治思想史》（上下）　　吕振羽 / 著

《中国哲学史纲要》　　向林冰 / 著

《中国政治史讲话》　　钱亦石 / 著

《中国社会经济史纲》　　王渔邨 / 著

《新财政学大纲》　　千家驹 / 著

《太平天国革命运动论文集——金田起义百周年纪念》

华北大学历史研究室 / 编

《理性与自由——文化思想批评论文集》　　胡绳 / 著

《战斗者的诗人》　　黄药眠 / 著

《国语文法》　　曹朴 / 著

《教育哲学》　　张栗原 / 著

《妇女问题讲话》　　杜君慧 / 著

《婚姻 · 子女 · 继承》　　沙千里 / 著

《性教育新论》　　布士克　雅各生合著 / 董秋斯译

《狱中杂感》　　杜重远 / 著

《七人之狱》　　沙千里 / 著

《爱迪生传》　　伍况甫 / 译

《歌德自传》（上下）　　歌德著 / 思慕译

《尼赫鲁自传》　　［印度］尼赫鲁著 / 毕来译

《列宁传》　　［苏］凯尔任采夫著 / 企程　朔望译

《罗斯福总统传》　　C. Mackenzie 著 / 张尚之译

《托尔斯泰传》（1–3）　　［英］阿尔麦 · 莫德著 / 徐迟译

《革命文豪高尔基》　［美］亚历山大·康恩著 / 韬奋编译

《鲁迅纪念特辑》　新中国文艺社 / 编

《回忆鲁迅先生》　萧红 / 著

《人民文豪鲁迅》　平心 / 著

《亡友鲁迅印象记》　许寿裳 / 著

《鲁迅思想研究》　何干之 / 著

《鲁迅研究》　夏征农 / 编

《过来的时代：鲁迅论及其他》　雪峰 / 著

《电影戏剧表演术》　洪深 / 著

《日常心理漫谈》　［美］约瑟夫·查斯特罗著 / 曾宝葹译

《心理常识漫话》　朱智贤　杨云美 / 著

《读书的方法与经验》　王任叔 / 著

《美国黑人生活纪实》　［美］加德维尔　斯坦倍克著 / 董秋斯译

《初访美国》　费孝通 / 著

《事业与成功》　［美］马尔腾著 / 汪原放译

《萍踪寄语（初集）》　韬奋 / 著

《一生的幸福前途——〈生活周刊〉信箱选集》　生活书店 / 编选

《深刻的印象》　生活周刊社 / 编

《海外的感受》　生活书店编译所 / 编

ISBN 978-7-108-04670-3

9 787108 046703 >

定价：31.00元